Sopas y entradas

Recetas esenciales

Soups & Starters
First published 2008 by
FLAME TREE PUBLISHING
Crabtree Hall, Cabtree Lane
Fulham, London SW6 6TY
United Kingdom

Nicolás San Juan 1043, Col. Del Valle, 03100, México, D.F.
Tels. 5575-6615, 5575-8701 y 5575-0186 Fax. 5575-6695
http://www.grupotomo.com.mx
ISBN-13: 978-607-415-449-8
Miembro de la Cámara Nacional
de la Industria Editorial No 2961

Traducción: Lorena Hidalgo Zebadúa
Diseño de portada: Karla Silva
Formación tipográfica: Armando Hernández
Supervisor de producción: Silvia Morales Torres

Impreso en Singapur - *Printed in Singapore*

Sopas y entradas

Recetas esenciales

Editado por Gina Steer

Grupo Editorial Tomo, S.A. de C.V.,
Nicolás San Juan 1043,
03100 México, D.F.

Contenido

Higiene en la cocina

Es importante recordar que muchos alimentos contienen algún tipo de bacteria. En la mayoría de los casos, lo peor que esto puede provocar es un envenenamiento por alimentos o una gastroenteritis, que en ciertas personas puede resultar grave. Sin embargo, con una buena higiene y una cocción adecuada este riesgo puede reducirse considerablemente o eliminarse por completo.

No compres alimentos cuya fecha de venta haya pasado, ni consumas alimentos cuya fecha de caducidad esté vencida. Usa los ojos y la nariz cuando compres alimentos; si tiene un aspecto raro, se ve marchito, tiene mal color o simplemente no huele bien, entonces no lo compres, ni lo consumas bajo ninguna circunstancia.

Los trapos y los paños de la cocina deben ser lavados y cambiados con regularidad. Lo mejor es que uses paños desechables y los reemplaces todos los días. Los paños que duran más deben remojarse en cloro y después lavarse en la lavadora con agua caliente. Mantén limpias tus manos, así como los utensilios y las superficies donde preparas los alimentos; no dejes que tus mascotas se trepen a las superficies de trabajo. Evita manipular alimentos si padeces del estómago, pues existe el riesgo de que se transmitan bacterias durante la preparación de la comida.

Comprar

Cuando te sea posible evita comprar a granel, en especial si se trata de productos frescos. Los alimentos frescos pierden rápidamente su valor nutricional, así que comprarlos en pocas cantidades reduce la pérdida de nutrientes. Verifica que el empaquetado esté intacto y no dañado ni perforado. Guarda los alimentos frescos en el refrigerador lo más rápido que puedas.

Cuando compres alimentos congelados verifica que no tengan demasiado hielo en la parte exterior y que se sienta que el contenido está completamente congelado. Asegúrate de que hayan sido bien almacenados y de que la temperatura esté por debajo de los -18°C/ -0.4°F. Para llevarlos a casa utiliza en bolsas para alimentos congelados y guárdalas en el congelador lo más pronto que puedas.

Preparación

Es importante darle especial cuidado a la preparación de carne y pescado crudos. Debes usar una tabla para picar específica para cada uno; el cuchillo, la tabla y tus manos deben estar perfectamente lavadas antes de que manipules o prepares cualquier otro alimento. Hay tablas de plástico para picar de diferentes colores y diseños, lo cual te ayudará a diferenciarlas, además de que el plástico tiene la ventaja de que se puede lavar en la lavadora de platos a altas temperaturas. Si vas a usar la tabla para el pescado, primero lávala en agua fría y después en agua caliente para evitar que se impregne el olor.

Al cocinar ten cuidado de mantener la comida cruda separada de la cocida para evitar que se contamine. Es bueno que laves todas las frutas y las verduras sin importar que las vayas a consumir crudas o ligeramente cocidas. Aplica esta regla para hierbas y hojas prelavadas.

No recalientes la comida más de una vez. Si usas el horno de microondas verifica que la comida esté muy caliente; en teoría, la comida debe alcanzar los 70°C/ 158°F y debe ser cocinada a esa temperatura durante tres minutos por lo menos para tener la seguridad de que hayan muerto todas las bacterias.

Las aves deben descongelarse bien antes de prepararlas. Saca los alimentos del congelador y colócalos sobre un recipiente que recolecte el líquido. Déjalos en el refrigerador hasta que estén descongelados por completo. Un pollo entero de 1.4kg/ 3 lb de peso tarda de 26 a 30 horas en descongelarse. Si quieres acelerar el proceso sumérgelo en agua fría y cambia el agua con regularidad. Cuando las articulaciones se muevan libremente y ya no queden cristales de hielo en la cavidad, entonces el pollo está descongelado. Una vez listo quita la envoltura y sécalo con papel absorbente. Coloca el pollo en un recipiente hondo, cúbrelo y guárdalo en la

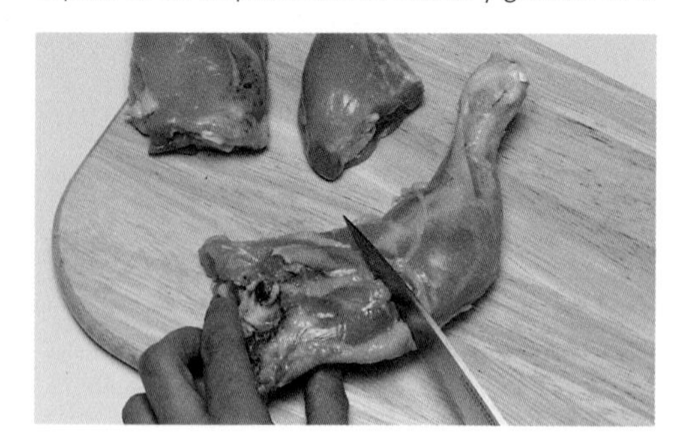

parte más baja que puedas del refrigerador. Cuece el pollo lo más pronto posible.

Hay muchos alimentos que pueden cocerse congelados, como los que se venden empaquetados (sopas, salsas, guisados y panes). Sigue las instrucciones del fabricante. Las verduras y las frutas también pueden cocerse congeladas, pero la carne y el pescado deben descongelarse primero. La única manera recomendada para volver a congelar la comida es después de haberla descongelado por completo y cocinado. Una vez que la comida está totalmente fría puedes congelarla, pero no la conserves así durante más de un mes.

Todas las aves y las aves de caza (excepto el pato) deben cocerse bien. Cuando están listas, los jugos salen claros de la parte más gruesa del ave; el mejor lugar para verificar la cocción es el muslo. Otras carnes, como la de res, de cordero y de cerdo, deben cocerse al término deseado. El pescado debe tomar un color opaco, con textura firme y desmenuzarse fácilmente en trozos grandes.

Al recalentar asegúrate de que las sobras estén bien calientes y que las salsas y las sopas lleguen al punto de ebullición.

Guardar, refrigerar y congelar

La carne, las aves, el pescado, los mariscos y los productos lácteos deben refrigerarse. La temperatura óptima del refrigerador debe estar entre 1–5 ºC/ 34–41 ºF, mientras que la temperatura del congelador no debe pasar de los –18ºC/ -0.4ºF. Para asegurar una buena temperatura evita dejar abierta la puerta durante mucho tiempo. Procura no guardar demasiadas cosas, pues se reduce el flujo del aire en el interior y, por lo tanto, se reduce también la capacidad de enfriar la comida que se encuentra dentro.

Cuando refrigeres comida cocida deja que se enfríe por completo antes de meterla al refrigerador. La comida caliente aumenta la temperatura del refrigerador y es posible que afecte o eche a perder otros alimentos guardados.

La comida siempre debe estar tapada. La comida cruda y la cocida deben guardarse en diferentes lugares del refrigerador. Guarda la comida cocida en las repisas superiores; y la carne, las aves y el pescado crudos, en la parte inferior para evitar que goteen y que se contaminen. Se recomienda refrigerar los huevos para mantener su frescura y su tiempo de vida.

Limpia, descongela y ordena el refrigerador y el congelador —revisa las envolturas para saber con exactitud cuánto tiempo puedes tener congelado un alimento—. Procura que los alimentos congelados no permanezcan en el congelador durante mucho tiempo. Las verduras blanqueadas duran un mes: la carne de res, la de cordero, la de ave y la de cerdo duran hasta seis meses; las verduras sin blanquear y las frutas en conserva, hasta un año. El pescado con alto contenido de grasa y las salchichas deben guardarse hasta seis meses; los pasteles duran congelados hasta seis meses.

Alimentos riesgosos

Algunos alimentos pueden ser riesgosos para la gente vulnerable, como los ancianos, los enfermos, las embarazadas, los bebés, los niños pequeños y quienes padecen de enfermedades recurrentes.

Existe una ligera posibilidad de que algunos huevos sean portadores de la bacteria salmonela. Así que cuece los huevos hasta que la yema y la clara estén firmes para eliminar el riesgo. Pon especial atención en los platillos y los productos que contengan huevo poco cocido o crudo, como salsa holandesa, mayonesa, mousses, soufflés, merengues, platillos con costra, helados y sorbetes. Algunas carnes y aves también pueden portar salmonela, por lo que deben cocinarse bien, hasta que los jugos salgan claros y no tengan partes de color rosa. Los productos sin pasteurizar, como la leche, el queso (en especial el suave) el paté, la carne (cruda y cocida) pueden portar listeria y deben evitarse.

Cuando compres mariscos hazlo en una tienda de buena calidad y que renueve los productos con regularidad para asegurarte de que están frescos. El pescado debe tener los ojos claros y brillantes, la piel brillante y las branquias de color rosa o rojo. Debe sentirse firme al tocarlo y tener un ligero olor a mar y a yodo. La piel de los filetes de carne y de pescado debe ser translúcida y no verse descolorida. Los moluscos, como los ostiones y los mejillones, se venden frescos y vivos. Evita comprar los que estén abiertos o que no se cierren al darles un golpecito, también deshecha los que no se abran después de la cocción. De la misma manera, los moluscos, como berberechos o bígaros, deben esconderse en su concha cuando se les toca ligeramente. Cuando compres calamar o pulpo, verifica que tengan la carne muy firme y un agradable olor a mar.

Con todos los productos del mar, ya sean mariscos o pescados, hay que tener cuidado al congelarlos. Debes verificar si ya han sido congelados antes, pues no debes hacerlo de nuevo, bajo ninguna circunstancia.

Nutrición: El papel de los nutrientes esenciales

Una dieta sana y bien balanceada es la principal fuente de energía del cuerpo. En los niños es construir cimientos sólidos para su salud en el futuro, así como darles mucha energía. En los adultos estimular la sanación y la regeneración del cuerpo. Una dieta bien equilibrada le proporciona al cuerpo todos los nutrientes esenciales que necesita y esto se logra consumiendo la variedad de alimentos que se muestran en la siguiente pirámide.

GRASAS

PROTEINAS

leche, yogur y queso — carne, pescado, aves, huevos, nueces y semillas

FRUTAS Y VERDURAS

CARBOHIDRATOS DE ALMIDÓN

cereales, papas, pan, arroz y pasta

GRASAS

Las grasas se dividen en dos categorías: las saturadas y las no saturadas. Las grasas son una parte esencial de la dieta, pues son una fuente de energía y proporcionan ácidos grasos esenciales y vitaminas liposolubles, pero es muy importante lograr un sano equilibrio. Éste debe estimular la inmunidad del cuerpo ante infecciones y mantener en buen estado a los músculos, los nervios y las arterias. Las grasas saturadas son las de origen animal y se encuentran en lácteos, carne, huevos, margarinas y manteca, así como en los productos manufacturados como pays, galletas y pasteles. Está demostrado que la ingesta alta de grasas saturadas durante muchos años aumenta el riesgo de padecimientos cardiacos y altos niveles de colesterol en la sangre y muchas veces provoca aumento de peso. Es muy importante reducir la cantidad de grasas saturadas que consumimos y ello no implica que sea bueno consumir otros tipos de grasa en grandes cantidades.

Existen dos tipos de grasas no saturadas: las poliinsaturadas y las monoinsaturadas. Las grasas poliinsaturadas incluyen aceite de cártamo, de frijol de soya, de maíz y de ajonjolí. Se ha demostrado que los aceites omega 3 que contienen las grasas poliinsaturadas son benéficos para la salud de las arterias y estimulan el desarrollo y el crecimiento cerebral. Se derivan de peces oleosos como el salmón, la caballa, el arenque y la sardina. Se recomienda la ingesta de estos peces por lo menos una vez por semana. También existen otras alternativas, como complementos de aceite de hígado. Los aceites más comunes con alto contenido de grasas monoinsaturadas son el aceite de oliva, el aceite de girasol y el aceite de cacahuate. Se sabe que las grasas monoinsaturadas también ayudan a reducir los niveles de colesterol.

PROTEINAS

Están compuestas de aminoácidos —los ladrillos de las proteínas—. Las proteínas llevan a cabo diferentes funciones vitales para el cuerpo, como proporcionar energía y formar y reparar los tejidos. El huevo, la leche, el yogur, el queso, la carne, el pescado, las aves, las nueces y las legumbres (ver el segundo nivel de la pirámide). Algunos de estos alimentos, sin embargo, contienen grasas saturadas. Para lograr un equilibrio nutricional consume grandes cantidades de alimentos con proteínas provenientes de verduras como la soya, los frijoles, las lentejas, los chícharos y las nueces.

MINERALES

CALCIO Es importante para tener dientes y huesos sanos; para la transmisión nerviosa, la contracción muscular, la coagulación sanguínea y la función hormonal. También ayuda a la salud del corazón y la piel; alivia el dolor muscular y óseo, mantiene un equilibrio ácido-alcalino y reduce los dolores menstruales. Los lácteos, los huesos pequeños de los pescados pequeños, las nueces, las legumbres, las harinas fortificadas, los panes y las verduras de hojas verdes son buenas fuentes de calcio.

CROMO Equilibra los niveles de azúcar en la sangre, ayuda a reducir los antojos, aumenta el tiempo de vida, la protección del ADN y es esencial para la función del corazón. La levadura de cerveza, el pan integral, el pan de centeno, los ostiones, las papas, los pimientos verdes, la mantequilla y las zanahorias son buenas fuentes de cromo.

YODO Es importante para la creación y el desarrollo normal de la hormona tiroides. Las fuentes de yodo son los mariscos, las algas, la leche y los productos lácteos.

HIERRO Como componente de la hemoglobina, el hierro transporta el oxígeno en el cuerpo. Es esencial para el crecimiento y el desarrollo normales. Las fuentes de hierro son el hígado, la carne de res curada, la carne roja, los cereales fortificados, las legumbres, las verduras de hoja verde, la yema de huevo, la cocoa y los productos de cocoa.

MAGNESIO Es importante para el funcionamiento correcto de las enzimas del metabolismo y el desarrollo del sistema óseo. El magnesio estimula la salud de los músculos, pues ayuda a que se relajen y por ello es bueno para el síndrome premenstrual. También es importante para los músculos cardiacos y el sistema nervioso. Las nueces, las verduras verdes, la carne, los cereales, la leche y el yogur son buenas fuentes de magnesio.

FÓSFORO Ayuda a la formación y al mantenimiento de los huesos y los dientes, del tejido muscular, a mantener el pH del cuerpo; ayuda al metabolismo y a la producción de energía. El fósforo está presente en casi todos los alimentos.

POTASIO Permite el procesamiento de los nutrientes, promueve nervios y músculos sanos, mantiene un equilibrio en los fluidos, ayuda a la secreción de la insulina para el control del azúcar en la sangre, relaja los músculos, ayuda al funcionamiento del corazón y estimula el movimiento intestinal. La fruta, las verduras, la leche y el pan son buenas fuentes de potasio.

SELENIO Sus propiedades antioxidantes ayudan a proteger contra los radicales libres y los agentes cancerígenos. Reduce la inflamación, estimula el sistema nervioso, fomenta la salud cardiaca y ayuda a la acción de la vitamina E. Es necesario para el sistema reproductor masculino y para el metabolismo. Las fuentes de selenio son el atún, el hígado, la carne, los huevos, los cereales, las nueces y los productos lácteos.

SODIO Es importante en el control del fluido del cuerpo, previene la deshidratación. Participa en la función muscular y nerviosa y ayuda a transportar los nutrientes a las células. Todos los alimentos son buenas fuentes de sodio. Los alimentos procesados, en salmuera o curados, son los que contienen mayor cantidad de sodio, pero deben consumirse con moderación.

ZINC Es importante para el metabolismo y la cicatrización de heridas; ayuda a la capacidad para manejar el estrés, a tener un sistema nervioso y cerebro sanos, en especial durante el crecimiento fetal; estimula la formación de los dientes y los huesos y es esencial para la energía. Las fuentes de zinc son el hígado, la carne, las legumbres, los cereales integrales, las nueces y los ostiones.

VITAMINAS

BIOTINA Es importante para el metabolismo de los ácidos grasos. Las fuentes de biotina son el hígado, el riñón, los huevos y las nueces.

ÁCIDO FÓLICO Es esencial durante el embarazo para el desarrollo del cerebro y los nervios. Siempre es necesario para las funciones cerebrales y nerviosas, y para el aprovechamiento de las proteínas y la formación de glóbulos rojos. Las fuentes de ácido fólico son cereales integrales, cereales fortificados, verduras de hojas verdes, naranjas e hígado.

VITAMINA A Es importante para el crecimiento y desarrollo celular y para la formación de los pigmentos visuales en el ojo. La vitamina A tiene dos formas: retinol y beta-caroteno. El retinol se encuentra en el hígado, la carne y la leche entera. El beta-caroteno es un poderoso antioxidante y se encuentra en frutas y verduras rojas y amarillas, como zanahorias, mangos y duraznos.

VITAMINA B_1 Es importante para liberar energía de los alimentos que contienen carbohidratos. La levadura y sus productos son buenas fuentes de vitamina B_1, así como el pan, los cereales fortificados y las papas.

VITAMINA B_2 Es importante para el metabolismo de las proteínas, grasas y carbohidratos para producir energía. Las fuentes de vitamina B_2 son carne, extractos de levadura, cereales fortificados, leche y sus derivados.

VITAMINA B_3 Es necesaria para convertir los alimentos en energía. La leche, los cereales fortificados, las legumbres, la carne, las aves y los huevos son buenas fuentes de vitamina B_3.

VITAMINA B_5 Es importante para el metabolismo de los alimentos y la producción de energía. Todos los alimentos son buenas fuentes de vitamina B_5, en especial los cereales fortificados, el pan integral y los productos lácteos.

VITAMINA B_6 Es importante para el metabolismo de las proteínas y las grasas. También participa en la regulación de las hormonas sexuales. El hígado, el pescado, el cerdo, los frijoles de soya y los cacahuates son buenas fuentes.

VITAMINA B_{12} Es importante para la producción de los glóbulos rojos y el ADN. Es esencial para el crecimiento y para el sistema nervioso. La carne, el pescado, los huevos, las aves y la leche son buenas fuentes de vitamina B_{12}.

VITAMINA C Es importante para sanar las heridas y para la formación de colágeno, que mantiene fuertes a la piel y a los huesos. Es un antioxidante importante. Las frutas son una buena fuente de vitamina C, en especial las frutas de verano (fresas, zarzamoras, etcétera) y las verduras.

VITAMINA D Es importante para la absorción del calcio y su aprovechamiento para ayudar a fortalecer los huesos. Son buenas fuentes de vitamina D los pescados oleosos, la leche entera y sus derivados, la margarina y, desde luego, la exposición a la luz solar, pues la vitamina D se produce en la piel.

VITAMINA E Es una importante vitamina antioxidante que ayuda a proteger las membranas celulares contra el daño y el envejecimiento. Los aceites vegetales son buenas fuentes de vitamina E, así como la margarina, las semillas, las nueces y las verduras verdes.

VITAMINA K Es importante para controlar la coagulación de la sangre. Son buena fuente de vitamina K la coliflor, las coles de Bruselas, la lechuga, la col, los frijoles, el brócoli, los chícharos, los espárragos, las papas, el aceite de maíz, los jitomates y la leche.

CARBOHIDRATOS

Los carbohidratos son una fuente de energía y son de dos tipos: almidones y azúcares. Los carbohidratos de almidón también se conocen como carbohidratos complejos e incluyen todos los cereales, las papas, el pan, el arroz y la pasta. El consumo de las variedades integrales de estos productos también aportan fibra. Se cree que las dietas ricas en fibra ayudan a prevenir el cáncer intestinal y mantienen bajo el nivel de colesterol. Los carbohidratos de azúcar —también llamados de absorción rápida porque aportan una dosis rápida de energía— incluyen azúcar y productos endulzados con azúcar. Otros tipos de azúcar son la lactosa (proviene de la leche) y la fructosa (de las frutas).

Sopas

Aunque las sopas a veces parecen tan simples, siempre te dejan satisfecho, de manera que todos tenemos varias recetas favoritas para preparar una sopa calientita en un frío día de invierno o como entrada para comenzar una deliciosa comida. En esta sección encontrarás una gran variedad de sopas para todos los gustos, como la clásica de Jitomate con albahaca, la Tai de mariscos y la de Papas, puerro y romero.

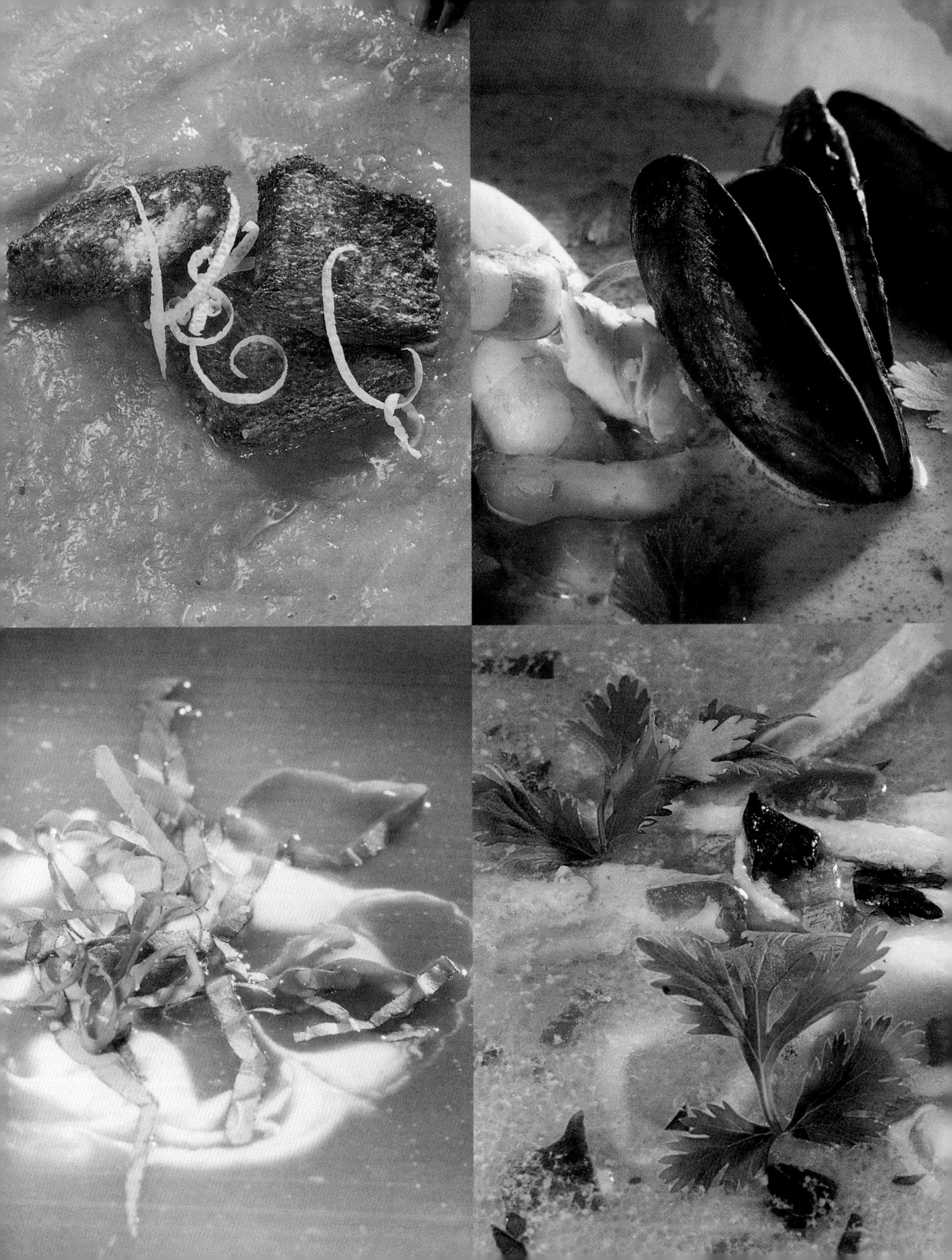

Sopa de champiñones y jerez

Ingredientes PORCIONES 4

4 rebanadas de pan blanco, del día anterior
Ralladura de ½ limón amarillo
1 cucharada de jugo de limón amarillo
Sal y pimienta negra, recién molida
125g/4 oz de champiñones salvajes, ligeramente enjuagados
125g/4 oz de champiñones botón pequeños, limpios
2 cucharaditas de aceite de oliva
1 diente de ajo, pelado, machacado
6 cebollas de cambray, rebanadas diagonalmente
600ml de caldo de pollo
4 cucharadas de jerez seco
1 cucharada de cebollín, recién picado, para decorar

1. Precalentar el horno a 180°C/ 350°F. Quitar las costras del pan y cortar el pan en cubos pequeños.

2. En un tazón grande revolver los cubos de pan junto con la ralladura y el jugo de limón, 2 cucharadas de agua y suficiente pimienta negra recién molida.

3. En una charola grande para hornear ligeramente engrasada, esparcir los cubos de pan y meter al horno durante 20 minutos hasta que estén dorados y crujientes.

4. Si los champiñones salvajes son pequeños dejar algunos enteros. De otra manera, rebanar finamente todos los champiñones y reservar.

5. En una cacerola calentar el aceite. Añadir el ajo y las cebollas de cambray y saltear de 1 a 2 minutos.

6. Agregar los champiñones y cocer de 3 a 4 minutos hasta que comiencen a suavizarse. Verter el caldo de pollo y revolver para mezclar.

7. Dejar que suelte el hervor, reducir el fuego y mantener a fuego lento. Tapar y cocer durante 10 minutos.

8. Incorporar el jerez y sazonar al gusto con un poco de sal y pimienta. Verter en tazones calientes, esparcir encima el cebollín y servir de inmediato con los crutones de limón.

Nuestra sugerencia

Para sacar la ralladura fina del limón usa un rallador fino, lo encuentras en cualquier tienda de utensilios de cocina. O corta finamente la cáscara con un pelapapas y córtala más finamente con un cuchillo filoso pequeño. Cuando ralles fruta usa una brocha limpia de cocina para quitar la cáscara del rallador.

Sopa china de pollo

1. Retirar la piel del pollo. Colocar el pollo en una tabla para picar y usar dos tenedores para desmenuzar finamente.

2. En una cacerola grande calentar el aceite y freír las cebollas de cambray con el chile durante 1 minuto.

3. Añadir el ajo y el jengibre, freír durante 1 minuto más.

4. Incorporar el caldo de pollo y dejar que suelte el hervor gradualmente.

5. Romper un poco los noodles y agregar al caldo hirviendo junto con la zanahoria.

6. Revolver para mezclar, reducir el fuego y cocinar a fuego lento de 3 a 4 minutos.

7. Añadir el pollo desmenuzado, el germen de soya, la salsa de soya y la salsa de pescado, revolver.

8. Cocer de 2 a 3 minutos más hasta que esté muy caliente. Servir la sopa en tazones individuales y espolvorear encima las hojas de cilantro. Servir de inmediato.

Ingredientes PORCIONES 4

225g/8 oz de pollo, cocido
1 cucharadita de aceite de ajonjolí
6 cebollas de cambray, recortadas en rebanadas diagonales
1 chile rojo, sin semillas, finamente picado
1 diente de ajo, pelado, machacado
Raíz de jengibre de 2.5cm, pelada, finamente rallada
1 litro de caldo de pollo
150g/5 oz de noodles de huevo, medianos
1 zanahoria pelada, cortada en juliana
125g/4 oz de germen de soya
2 cucharadas de salsa de soya
1 cucharada de salsa de pescado
Hojas frescas de cilantro, para decorar

Consejo

Para añadir valor nutricional sustituye los noodles de huevo por la variedad integral. Aumenta el contenido de verduras añadiendo 75g/3 oz de castañas de agua y de brotes de bambú, y 50g/2 oz de chícharos y elotitos baby en el paso 7.

Sopa de zanahoria con jengibre

1. Precalentar el horno a 180°C/350°F. Picar grueso el pan. En 2 cucharadas de agua caliente disolver el extracto de levadura y mezclar con el pan.

2. Esparcir el pan en cubos sobre una charola para horno ligeramente engrasada y hornear durante 20 minutos, volteando a la mitad de la cocción. Retirar del horno y reservar.

3. En una cacerola grande calentar el aceite. Freír ligeramente la cebolla y el ajo de 3 a 4 minutos.

4. Incorporar el jengibre molido y freír durante 1 minuto más para que suelte el sabor.

5. Agregar las zanahorias picadas, incorporar el caldo y el jengibre fresco. Cocinar a fuego lento durante 15 minutos.

6. Retirar del fuego y dejar que se enfríe un poco. Licuar hasta que la mezcla esté tersa y sazonar con un poco de sal y pimienta. Incorporar el jugo de limón. Decorar con el cebollín y la ralladura de limón y servir de inmediato.

Ingredientes PORCIONES 4

- 4 rebanadas de pan blanco, sin costras
- 1 cucharadita de extracto de levadura
- 2 cucharaditas de aceite de oliva
- 1 cebolla, pelada, picada
- 1 diente de ajo, pelado, machacado
- ½ cucharadita de jengibre, molido
- 450g/1 lb de zanahorias, peladas, picadas
- 1 litro de caldo de verduras
- Raíz de jengibre de 2.5cm, pelada, finamente rallada
- Sal y pimienta negra, recién molida
- 1 cucharada de jugo de limón amarillo

Para decorar:

- Cebollín
- Ralladura de limón amarillo

Consejo

Para ocasiones especiales sirve la sopa con cucharadas de crema ligeramente batida o con crème fraîche.

Sopa italiana de frijoles

1. En una cacerola grande calentar el aceite. Añadir el puerro, el ajo y el orégano y cocinar ligeramente durante 5 minutos, revolviendo ocasionalmente.

2. Añadir los ejotes y los frijoles cannellini. Incorporar la pasta y verter el caldo de verduras.

3. Dejar que el caldo suelte el hervor y reducir a fuego lento.

4. Cocer de 12 a 15 minutos o hasta que las verduras estén suaves y la pasta esté cocida "al dente". Revolver ocasionalmente.

5. En una sartén de base gruesa freír en seco los jitomates a fuego alto hasta que se suavicen y la piel comience a oscurecerse.

6. Con el dorso de una cuchara machacar ligeramente los jitomates y añadir a la sopa.

7. Sazonar al gusto con sal y pimienta. Incorporar la albahaca rallada y servir de inmediato.

Ingredientes   PORCIONES 4

2 cucharaditas de aceite de oliva
1 puerro, lavado, picado
1 diente de ajo, pelado, machacado
2 cucharaditas de orégano seco
75g/3 oz de ejotes, cortados en trozos medianos
410g de frijoles cannellini (frijol claro), de lata, colados, enjuagados
75g/3 oz de pasta corta
1 litro de caldo de verduras
8 jitomates cherry

Consejo

Esta sopa sabe todavía mejor al día siguiente de la preparación; añade un poco más de caldo cuando la recalientes.

Sopa de jitomate con albahaca

1. Precalentar el horno a 200°C/400°F. En una charola para hornear esparcir uniformemente y en una sola capa los jitomates y el ajo sin pelar.

2. Mezclar el aceite con el vinagre. Bañar los jitomates con la mezcla, espolvorear encima el azúcar morena.

3. Asar los jitomates en el horno precalentado durante 20 minutos, hasta que estén suaves y ligeramente dorados en algunas partes.

4. Retirar del horno y dejar que se enfríen ligeramente. Cuando puedan manipularse exprimir los ajos para extraer la pulpa. Colocar junto con los jitomates en un colador de nailon sobre una cacerola.

5. Colar los ajos y los jitomates presionando con el dorso de una cuchara.

6. Cuando toda la pulpa se haya colado, incorporar en una cacerola el puré de jitomate y el caldo de verduras. Calentar ligeramente, revolviendo ocasionalmente.

7. En un tazón pequeño batir el yogur junto con la albahaca y sazonar al gusto con sal y pimienta. Agregar el yogur de albahaca a la sopa. Decorar con las hojas de albahaca y servir de inmediato.

Ingredientes PORCIONES 4

1.1 kilos/2 ½ lb de jitomates maduros, cortados a la mitad
2 dientes de ajo
1 cucharadita de aceite de oliva
1 cucharada de vinagre balsámico
1 cucharada de azúcar morena clara
1 cucharada de puré de tomate
300ml de caldo de verduras
6 cucharadas de yogur natural
2 cucharadas de albahaca, recién picada
Sal y pimienta negra, recién molida
Hojas de albahaca pequeñas, para decorar

Consejo

Usa la variedad más dulce de jitomates que encuentres, pues marca una gran diferencia en el sabor de la sopa. En muchos supermercados tienen variedades especiales cultivadas y maduradas durante más tiempo para que su sabor sea más intenso. Si no los encuentras añade un poco más de azúcar para darle más sabor a la sopa.

2

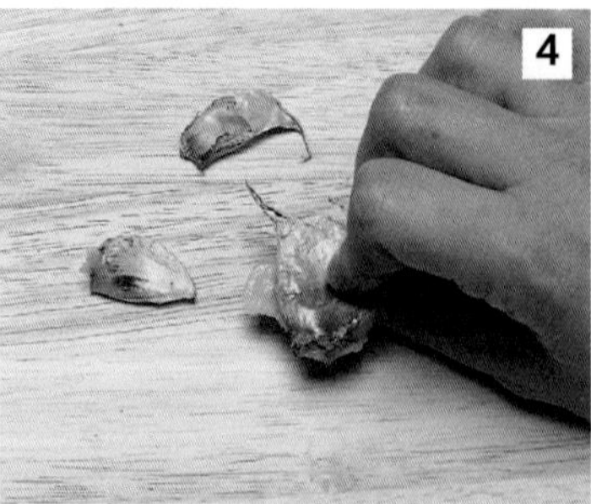
4

7

Sopa de langostinos con chile

1 Para hacer rizos de cebolla de cambray cortar finamente las cebollas a lo largo. Sumergir en un tazón con agua muy fría y reservar.

2 Quitar las cabezas de los langostinos y pelarlos, dejar las colas.

3 Cortar los langostinos por la mitad, en mariposa, y retirar la vena que se encuentra en la parte posterior de cada uno.

4 En una sartén grande calentar el caldo junto con la ralladura de limón y el jugo, la salsa de pescado, el chile y la salsa de soya.

5 Con un rodillo machacar a lo largo el limoncillo y añadir a la mezcla del caldo.

6 Cuando la mezcla del caldo esté hirviendo agregar los langostinos y cocer hasta que tomen un color rosado.

7 Retirar el limoncillo y verter el vinagre de arroz y el cilantro.

8 Servir la sopa en tazones individuales y decorar con los rizos de cebolla de cambray. Servir de inmediato.

Ingredientes PORCIONES 4

2 cebollas de cambray, cortadas en tiras
225g/8 oz de langostinos tigre, enteros
750ml de caldo de pescado
Jugo y ralladura fina de 1 limón verde
1 cucharada de salsa de pescado
1 chile rojo, sin semillas, picado
1 cucharada de salsa de soya
1 ramita de limoncillo (hierba de sabor y aroma parecido al limón)
2 cucharadas de vinagre de arroz
4 cucharadas de cilantro, recién picado

Consejo

Para preparar un platillo más sustancioso cuece de 50 a 75g/2 a 3 oz de arroz aromático tai de 12 a 15 minutos o hasta que apenas esté cocido. Colar, poner un poco de arroz en un tazón y verter encima la sopa preparada.

1

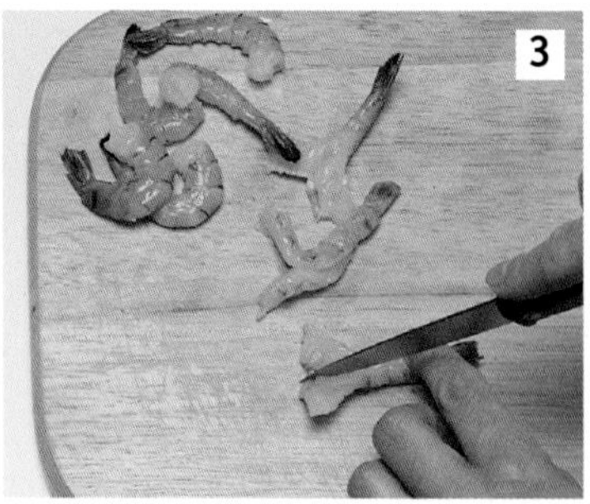
3

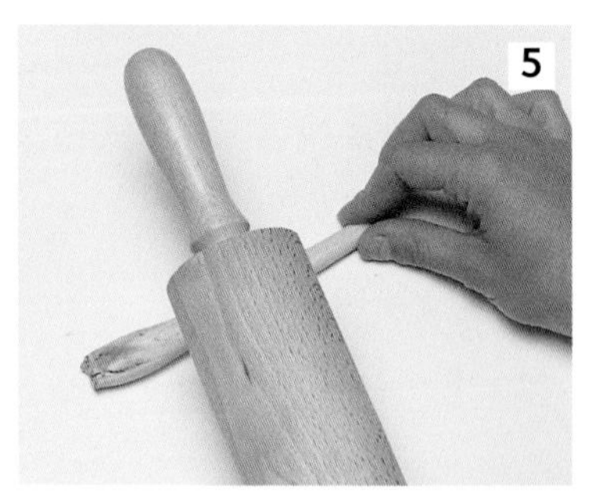
5

Sopa de chirivía

1. En una sartén pequeña freír en seco las semillas de comino y de cilantro a fuego moderadamente alto, de 1 a 2 minutos. Agitar la sartén durante la cocción hasta que las semillas estén ligeramente tostadas.

2. Reservar hasta que se enfríen. En un mortero moler las semillas tostadas.

3. En una cacerola calentar el aceite. Freír la cebolla hasta que esté suave y comience a tomar un color dorado.

4. Añadir a la cacerola el ajo junto con la cúrcuma, el chile en polvo y la ramita de canela. Continuar la cocción durante 1 minuto más.

5. Agregar las chirivías y revolver bien. Verter el caldo y dejar que suelte el hervor. Tapar y cocinar a fuego lento durante 15 minutos o hasta que las chirivías estén cocidas.

6. Dejar que la sopa se enfríe. Una vez fría retirar la ramita de canela y desechar.

7. Licuar la sopa en un procesador de alimentos hasta que esté muy tersa.

8. Pasar a una cacerola y recalentar ligeramente. Sazonar al gusto con sal y pimienta. Decorar con el cilantro fresco y servir de inmediato con el yogur.

Ingredientes PORCIONES 4

1 cucharadita de semillas de comino
2 cucharaditas de semillas de cilantro
1 cucharadita de aceite
1 cebolla, pelada, picada
1 diente de ajo, pelado, machacado
½ cucharadita de cúrcuma (condimento parecido al azafrán y al jengibre)
¼ cucharadita de chile en polvo
1 ramita de canela
450g/1 lb de chirivías (raíz parecida a la zanahoria), peladas, picadas
1 litro de caldo de verduras
Sal y pimienta negra, recién molida
2–3 cucharadas de yogur natural, para servir
Hojas de cilantro frescas, para decorar

Dato culinario

Las chirivías van del color amarillo pálido al blanco cremoso. Son mejores cuando tienen el tamaño de una zanahoria grande. Si son más grandes retira el centro, ya que puede ser un poco duro.

1

5

6

Sopa de pimiento rojo, jitomate y cebolla morada

1 Precalentar el horno a 190°C/375°F. En una charola grande para asar verter el aceite, colocar los pimientos y la cebolla y revolver para cubrir. Asar en el horno durante 10 minutos. Agregar los jitomates y asarlos durante 20 minutos más o hasta que los pimientos estén suaves.

2 Cortar el pan en rebanadas de 1cm. Cortar el diente de ajo a la mitad y frotarlo, del lado del corte, contra el pan.

3 En una charola grande para horno colocar las rebanadas de pan y asar en el horno precalentado durante 10 minutos, volteando a la mitad de la cocción, hasta que estén dorados y crujientes.

4 Retirar las verduras del horno y dejar que se enfríen ligeramente, licuar en un procesador de alimentos hasta que estén tersas. Pasar la mezcla de las verduras por un colador grande de nailon, para retirar las semillas y la piel, y colocar en una cacerola. Verter el caldo, sazonar al gusto con sal y pimienta y revolver para mezclar. Dejar la sopa a fuego lento hasta que esté bien caliente.

5 En un tazón pequeño batir la salsa inglesa con el fromage frais.

6 Verter la sopa en tazones individuales calientes y colocar una cucharada de la mezcla del fromage frais en cada uno. Servir de inmediato con las rebanadas de pan con ajo.

Ingredientes PORCIONES 4

2 cucharaditas de aceite de oliva
2 pimientos rojos grandes, sin semillas, picados grueso
1 cebolla morada, pelada, picada grueso
350g/12 oz de jitomates, cortados a la mitad
1 hogaza pequeña de pan baguete
1 diente de ajo, pelado
600ml de caldo de verduras
Sal y pimienta negra, recién molida
1 cucharadita de salsa inglesa
4 cucharadas de fromage frais (queso fresco cremoso)

Nuestra sugerencia

Una forma sencilla de quitar la piel de los pimientos después de asarlos es colocarlos dentro de una bolsa de plástico y dejarlos reposar durante 10 minutos o hasta que se enfríen y puedan manipularse.

Sopa de colinabos, nabos, chirivías y papas

1. Picar finamente 1 cebolla. En una cacerola grande derretir la mantequilla y añadir la cebolla picada, las zanahorias, los colinabos, los nabos, las chirivías y las papas. Tapar y cocinar ligeramente durante 10 minutos sin que tomen color. Revolver ocasionalmente durante la cocción.

2. Verter el caldo y sazonar al gusto con la nuez moscada, sal y pimienta. Tapar y dejar que suelte el hervor, reducir el fuego y cocinar a fuego lento de 15 a 20 minutos o hasta que las verduras estén suaves. Retirar del fuego y dejar enfriar durante 30 minutos.

3. En una sartén grande de base gruesa calentar el aceite. Cortar la cebolla en aros, añadir a la sartén y freír a fuego medio de 2 a 3 minutos, revolviendo con frecuencia, hasta que estén doradas y de color café. Con una cuchara coladora retirar las cebollas y escurrir bien sobre papel absorbente; se ponen crujientes conforme se enfrían.

4. En un procesador de alimentos o en una licuadora colocar la sopa fría y licuar hasta obtener un puré terso. Devolver a la cacerola, ajustar la sazón e incorporar la crema. Recalentar ligeramente y colocar encima las cebollas crujientes. Servir de inmediato con el pan crujiente en trozos.

Ingredientes PORCIONES 4

2 cebollas grandes
25g/1 oz de mantequilla
2 zanahorias medianas, peladas, picadas grueso
175g/6 oz de colinabos (raíz comestible), pelados, picados grueso
125g/4 oz de nabos, pelados, picados grueso
125g/4 oz de chirivías (raíz parecida a la zanahoria), peladas, picadas grueso
175g/6 oz de papas, peladas
1 litro de caldo de verduras
½ cucharadita de nuez moscada, recién molida
Sal y pimienta negra, recién molida
4 cucharadas de aceite vegetal, para freír
125ml/4 fl oz de crema agria
Pan crujiente caliente, para servir

Nuestra sugerencia

Para que esta sopa sea más baja en grasas, añade leche (descremada si prefieres) al recalentarla, en lugar de la crema.

Sopa de papas e hinojo

1 En una cacerola grande de base gruesa derretir la mantequilla. Añadir las cebollas junto con el ajo y la mitad de la sal, freír a fuego medio, revolviendo ocasionalmente, de 7 a 10 minutos o hasta que las cebollas estén muy suaves y comiencen a tomar un color café.

2 Agregar las papas, el bulbo de hinojo, el comino y el resto de la sal. Freír durante 5 minutos y verter el caldo. Dejar que suelte el hervor, tapar parcialmente y cocinar a fuego lento de 15 a 20 minutos o hasta que las papas estén suaves. Incorporar el perejil picado y ajustar la sazón al gusto.

3 Para darle una textura suave dejar que la sopa se enfríe un poco y licuar en un procesador de alimentos hasta que esté tersa. Recalentar la sopa un poco y servir en tazones individuales. Para preparar una sopa con los trozos de las verduras, no licuar y servir a los tazones directamente de la cacerola.

4 Colocar una cucharada de crème fraîche en cada tazón y servir de inmediato con los trozos del pan baguete.

Ingredientes PORCIONES 4

25g/1 oz de mantequilla
2 cebollas grandes, peladas, finamente rebanadas
2–3 dientes de ajo, pelados, machacados
1 cucharadita de sal
2 papas medianas, de 450g/1 lb de peso, peladas, cortadas en cubos
1 bulbo de hinojo, finamente picado
½ cucharadita de comino
1 litro de caldo de verduras
Pimienta negra, recién molida
2 cucharadas de perejil, recién picado
4 cucharadas de crème fraîche (crema fresca)
Pan baguete, en trozos grandes

Dato culinario

El bulbo de hinojo es el tallo de una planta conocida como hinojo de Florencia que es originaria de Italia. El hinojo de Florencia tiene un distintivo sabor a anís que disminuye y se vuelve dulce cuando se cocina. Busca bulbos bien redondeados con tallos de color verde brillante.

1

2

4

Sopa galesa cawl

1 En una cacerola grande colocar la carne de cordero, cubrir con agua fría y calentar hasta que suelte el hervor. Agregar una pizca grande de sal. Cocinar a fuego lento durante 1 ½ horas y reservar para dejar que se enfríe por completo, de preferencia durante toda la noche.

2 Al día siguiente quitar la grasa de la superficie del líquido de cocción y desechar. Regresar la cacerola al fuego y dejar que suelte el hervor. Cocinar a fuego lento durante 5 minutos. Añadir las cebollas, las papas, las chirivías, el colinabo y las zanahorias, dejar que suelte el hervor. Reducir el fuego, tapar y cocer durante 20 minutos, revolviendo ocasionalmente.

3 Añadir los puerros y sazonar al gusto con sal y pimienta. Cocinar durante 10 minutos más o hasta que todas las verduras estén suaves.

4 Con una cuchara coladora retirar la carne de la cacerola y separar la carne del hueso. Desechar los huesos y el cartílago, devolver la carne a la cacerola. Ajustar la sazón al gusto e incorporar el perejil, servir de inmediato con bastante pan crujiente.

Ingredientes PORCIONES 4-6

700g/1 ½ lb de chuletas de cuello de cordero
Pizca de sal
2 cebollas grandes, finamente rebanadas
3 papas grandes, peladas, cortadas en trozos
2 chirivías (raíz parecida a la zanahoria), peladas, cortadas en trozos
1 colinabo (raíz comestible), pelado, cortado en trozos
2 puerros, rebanados
Pimienta negra, recién molida
Pan crujiente, para servir

Dato culinario

Muchas recetas galesas tradicionales, como ésta, se preparan con cordero. Esta deliciosa sopa se consideraba platillo principal y se preparaba con sobras de carne de cordero y verduras cocidas en un caldo.

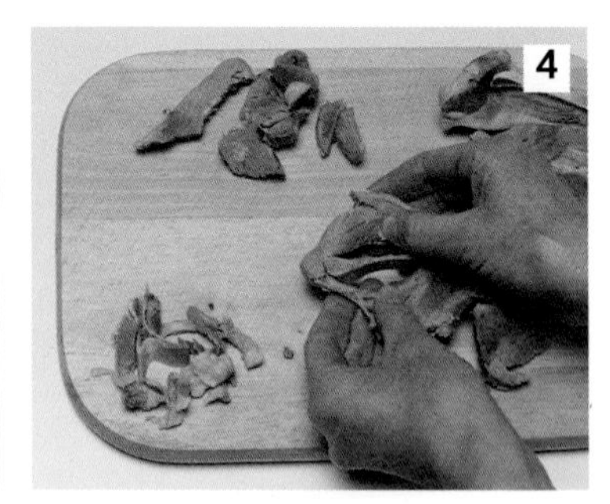

Sopa de papa, puerro y romero

1 En una cacerola grande derretir la mantequilla, agregar los puerros y cocer ligeramente durante 5 minutos, revolviendo frecuentemente. Retirar 1 cucharada de los puerros cocidos, reservar para decorar.

2 Agregar las papas, el caldo de verduras, las ramitas de romero y la leche. Dejar que suelte el hervor, reducir el fuego, tapar y cocinar a fuego lento de 20 a 25 minutos o hasta que las verduras estén suaves.

3 Dejar enfriar durante 10 minutos. Desechar el romero. Verter la sopa a un procesador de alimentos y licuar hasta que la mezcla esté tersa.

4 Devolver la sopa a la cacerola limpia, incorporar el perejil picado y la crème fraîche. Sazonar al gusto con sal y pimienta. Si la sopa está demasiado espesa agregar un poco más de leche o agua. Recalentar ligeramente sin dejar que hierva, transferir a tazones calientes para servir. Decorar con los puerros reservados, servir de inmediato con los rollos de harina integral.

Ingredientes PORCIONES 4

50g/2 oz de mantequilla
450g/1 lb de puerros, finamente rebanados
700ml/1 ½ lb de papas, peladas, picadas grueso
900ml de caldo de verduras
4 ramitas de romero fresco
450ml de leche entera
2 cucharadas de perejil, recién picado
2 cucharadas de crème fraîche (crema fresca)
Sal y pimienta negra, recién molida
Rollos de harina integral, para servir

Consejo

Esta versión de la *vichyssoise* aromatizada con romero también es deliciosa si la sirves fría. Deja que la sopa se enfríe antes de guardarla y refrigérala durante 2 horas por lo menos. La sopa se espesa conforme se enfría, de manera que puedes darle la consistencia deseada, añadiendo un poco más de leche o de caldo antes de servirla. Es importante que uses romero fresco para esta receta.

Crema de espinacas

1 En una cacerola grande colocar la cebolla, el ajo y las papas y cubrir con agua fría. Añadir la mitad de la sal y calentar hasta que suelte el hervor. Tapar y dejar a fuego lento de 15 a 20 minutos o hasta que las papas estén suaves. Retirar del fuego y agregar las espinacas. Tapar y reservar durante 10 minutos.

2 En otra cacerola derretir a fuego lento la mantequilla, agregar la harina y cocer a fuego lento durante 2 minutos. Retirar la cacerola del fuego y verter la leche, poco a poco, revolviendo constantemente, de 5 a 8 minutos o hasta que la salsa esté tersa y haya espesado ligeramente. Agregar la nuez moscada recién rallada al gusto.

3 En un procesador de alimentos licuar la mezcla fría de las papas y las espinacas hasta obtener un puré terso, devolver a la cacerola e incorporar poco a poco la salsa blanca. Sazonar al gusto con sal y pimienta y calentar ligeramente, sin dejar que la sopa hierva. Servir la sopa en tazones y colocar encima una cucharada de crème fraîche o crema fresca. Servir de inmediato con el pan foccacia caliente.

Ingredientes PORCIONES 6-8

1 cebolla grande, picada
5 dientes de ajo, grandes, pelados, picados
2 papas medianas, peladas, picadas
750ml de agua fría
1 cucharadita de sal
450g/1 lb de espinacas, lavadas, sin los tallos grandes
50g/2 oz de mantequilla
3 cucharadas de harina
750ml de leche
½ cucharadita de nuez moscada molida
Pimienta negra, recién molida
6–8 cucharadas de crème fraîche o crema fresca
Pan foccacia caliente, para servir (pan cubierto con hierbas)

Nuestra sugerencia

Cuando compres espinacas verifica que las hojas se vean frescas, que estén crujientes y de color verde oscuro. Úsalas de 1 a 2 días después de comprarlas y guárdalas en un lugar fresco. Para prepararlas lávalas en varios cambios de agua para eliminar la tierra y agítalas para retirar todo el exceso de agua.

1

2

3

Sopa de arroz con tomate

Ingredientes PORCIONES 4

- 150g/5 oz de arroz basmati o de grano largo, precocido
- 400g de tomates, de lata, picados
- 2 dientes de ajo, pelados, machacados
- Ralladura de ½ limón amarillo
- 2 cucharadas de aceite de oliva extra virgen
- 1 cucharadita de azúcar
- Sal y pimienta negra, recién molida
- 300ml de caldo de verduras o de agua

Para los crutones:

- 2 cucharadas de salsa de pesto
- 2 cucharadas de aceite de oliva
- 6 rebanadas finas de pan tipo chapata, cortadas en cubos de 1cm

1 Precalentar el horno a 220°C/425°F. Enjuagar y colar el arroz basmati. En una cacerola grande de base gruesa colocar los tomates de lata y su jugo junto con el ajo, la ralladura de limón, el aceite y el azúcar. Sazonar al gusto con sal y pimienta. Calentar hasta que suelte el hervor, reducir el fuego, tapar y hervir a fuego lento durante 10 minutos.

2 Agregar el caldo de verduras o el agua hirviendo y el arroz, cocer sin tapar de 15 a 20 minutos más o hasta que el arroz esté suave. Si la sopa está demasiado espesa añadir un poco más de agua. Reservar y mantener caliente si los crutones no están listos.

3 Mientras preparar los crutones. En un tazón grande mezclar el pesto y el aceite de oliva. Agregar los cubos de pan y revolver hasta que estén cubiertos por completo con la mezcla. Esparcir sobre una charola para horno y dorar en el horno precalentado de 10 a 15 minutos, hasta que estén crujientes, volteando una vez a la mitad del tiempo de horneado. Servir la sopa de inmediato y esparcir encima los crutones calientes.

Nuestra sugerencia

El pesto es una salsa de color verde intenso hecha con hojas de albahaca, ajo, piñones, queso parmesano y aceite de oliva. Para esta receta puedes comprar el pesto en bote, pero puedes prepararlo tú mismo durante el verano, cuando la cosecha de albahaca es abundante.

1

2

3

Sopa de pollo con coco

Ingredientes

PORCIONES 4

- 2 tallos de limoncillo (hierba de sabor y aroma parecido al limón)
- 3 cucharadas de aceite vegetal
- 3 cebollas medianas, peladas, finamente rebanadas
- 3 dientes de ajo, pelados, machacados
- 2 cucharadas de raíz de jengibre fresco, finamente picada
- 2–3 hojas de lima kaffir (hojas de sabor cítrico y floral)
- 1 ½ cucharaditas de cúrcuma (condimento parecido al azafrán y al jengibre)
- 1 pimiento rojo, sin semillas, cortado en cubos
- 400ml de leche de coco, de lata
- 1.1 litros de caldo de verduras o de pollo
- 275g/9 oz de arroz de grano largo, precocido
- 275g/10 oz de carne de pollo, cocida
- 285g de granos de elote dulce, de lata
- 3 cucharadas de cilantro, recién picado
- 1 cucharada de salsa de pescado tai
- Chiles en conserva, recién picados, para servir

1. Desechar las hojas exteriores de los tallos del limoncillo, colocar sobre una tabla para picar y, con un rodillo o un mazo, golpear ligeramente para machacar, reservar.

2. En una cacerola grande calentar el aceite vegetal y freír las cebollas a fuego medio de 10 a 15 minutos, hasta que estén suaves y comiencen a tomar color.

3. Reducir el fuego, incorporar el ajo, el jengibre, las hojas de lima y la cúrcuma y cocinar durante 1 minuto. Agregar el pimiento rojo, la leche de coco, el caldo, el limoncillo y el arroz. Dejar que suelte el hervor, tapar y cocinar a fuego lento durante 10 minutos.

4. Cortar el pollo en trozos medianos e incorporar a la sopa junto con los granos de elote y el cilantro recién picado. Agregar la salsa de pescado tai al gusto, recalentar ligeramente, revolviendo con frecuencia. Servir de inmediato con unos chiles en conserva esparcidos encima.

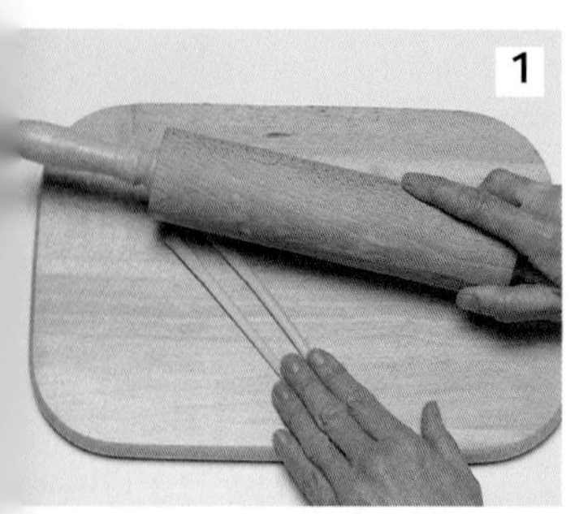

Sopa agrio-picante de champiñones

1 En una sartén calentar el aceite, añadir el ajo y los chalotes y freír hasta que estén dorados y comiencen a estar crujientes. Retirar de la sartén y reservar. Agregar los chiles a la sartén y freír hasta que comiencen a tomar color.

2 En un procesador de alimentos o en una licuadora colocar el ajo, los chalotes y los chiles y licuar hasta obtener un puré suave con 150ml de agua. Regresar el puré a la sartén y agregar el azúcar con una pizca grande de sal, cocinar ligeramente, revolviendo, hasta que tome color oscuro. No quemar la mezcla.

3 En una cacerola grande verter el caldo, añadir el puré de ajo junto con el arroz, las hojas de lima, la salsa de soya, el jugo y la ralladura de limón. Dejar que suelte el hervor, reducir el fuego, tapar y cocer a fuego lento durante 10 minutos aproximadamente.

4 Agregar los champiñones y cocinar a fuego lento durante 10 minutos más o hasta que los champiñones y el arroz estén suaves. Retirar las hojas de lima, incorporar el cilantro picado y servir en tazones individuales. Colocar los chiles verdes picados y las cebollas de cambray en otros recipientes pequeños para espolvorear sobre la sopa.

Ingredientes PORCIONES 4

4 cucharadas de aceite de girasol
3 dientes de ajo, pelados, finamente picados
3 chalotes, pelados, finamente picados
2 chiles rojos grandes, sin semillas, finamente picados
1 cucharada de azúcar morena refinada
Pizca grande de sal
1 litro de caldo de verduras
250g/9 oz de arroz aromático tai
5 hojas de lima kaffir, rotas (hojas de sabor cítrico y floral)
2 cucharadas de salsa de soya
Jugo y ralladura de 1 limón amarillo
250g/9 oz de champiñones ostra, limpios, cortados en trozos
2 cucharadas de cilantro, recién picado

Para decorar:

2 chiles verdes, sin semillas, finamente picados
3 cebollas de cambray, finamente picadas

1

2

4

Sopa de tocino con chícharos

1 Cubrir los chícharos con suficiente agua fría, tapar holgadamente y dejar remojar durante 12 horas mínimo, de preferencia durante toda la noche.

2 En una cacerola de base gruesa derretir la mantequilla, añadir el ajo y la cebolla y freír de 2 a 3 minutos sin que lleguen a tomar color. Agregar el arroz, los chícharos colados y el puré de tomate, cocer de 2 a 3 minutos, revolviendo constantemente para evitar que se pegue. Verter el caldo y dejar que suelte le hervor, reducir el fuego y cocinar a fuego lento de 20 a 25 minutos o hasta que el arroz y los chícharos estén suaves. Retirar del fuego y dejar enfriar.

3 En un procesador de alimentos licuar tres cuartos de la sopa hasta obtener un puré terso. Verter el puré con el resto de la sopa en la cacerola. Agregar las zanahorias y cocer de 10 a 12 minutos o hasta que las zanahorias estén suaves.

4 Mientras, en una sartén de teflón colocar el tocino y freír a fuego lento, hasta que esté crujiente. Retirar y escurrir sobre papel absorbente.

5 Sazonar la sopa con sal y pimienta al gusto, incorporar el perejil y la crema. Recalentar de 2 a 3 minutos y servir en tazones individuales. Espolvorear con tocino y servir de inmediato con el pan de ajo caliente.

Ingredientes PORCIONES 4

50g/2 oz de chícharos en mitades, deshidratados
25g/1 oz de mantequilla
1 diente de ajo, pelado, finamente picado
1 cebolla mediana, pelada, finamente rebanada
175g/6 oz de arroz de grano largo
2 cucharadas de puré de tomate
1.1 litros de caldo de verduras o de pollo
175g/6 oz de zanahorias, peladas, finamente picadas
125g/4 oz de tocino, finamente picado
Sal y pimienta negra, recién molida
2 cucharadas de perejil, recién picado
4 cucharadas de crema
Pan de ajo crujiente, para servir

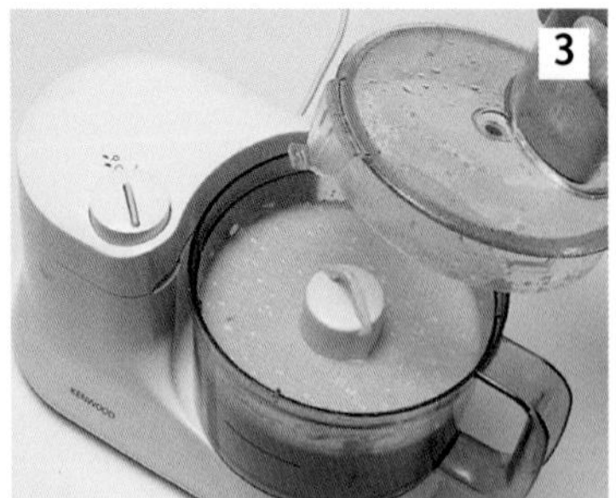

Sopa de calabaza con eglefino ahumado

1 En una cacerola de base gruesa calentar el aceite y freír ligeramente la cebolla, el ajo y el apio durante 10 minutos; esto libera el sabor dulce de los ingredientes sin que tomen color. Agregar la calabaza y las papas a la cacerola y revolver para cubrir las verduras con el aceite.

2 Verter el caldo poco a poco y dejar que suelte el hervor. Tapar, reducir el fuego y cocinar a fuego lento durante 25 minutos, revolviendo ocasionalmente. Incorporar el jerez seco, retirar la cacerola del fuego y dejar enfriar de 5 a 10 minutos.

3 Batir la mezcla en un procesador de alimentos o en una licuadora hasta obtener un puré con trozos, devolver a la cacerola.

4 Mientras, en una sartén colocar el pescado. Verter la leche con 3 cucharadas de agua y dejar que llegue casi a punto de ebullición. Reducir el fuego, tapar y cocinar a fuego lento durante 6 minutos o hasta que el pescado esté cocido y se desmenuce fácilmente. Retirar del fuego y, con una cuchara coladora, retirar el pescado del líquido, reservar ambos.

5 Quitar la piel y las espinas del pescado, desmenuzarlo en trozos pequeños. Incorporar el líquido del pescado a la sopa junto con el pescado desmenuzado. Sazonar con pimienta negra recién molida, añadir el perejil y servir de inmediato.

Ingredientes PORCIONES 4-6

2 cucharadas de aceite de oliva
1 cebolla mediana, pelada, picada
2 dientes de ajo, pelados, picados
3 tallos de apio, picados
700g/1 ¼ lb de calabaza de Castilla, pelada, sin semillas, cortada en trozos
450g/1 lb de papas, peladas, cortadas en trozos
750ml de caldo de pollo, caliente
125ml/4 fl oz de jerez seco
200g/7 oz de filetes de eglefino ahumado (también se puede usar bacalao)
150ml de leche
Pimienta negra, recién molida
2 cucharadas de perejil, recién picado

Consejo
Para esta receta busca la variedad de eglefino ahumado sin color, pues la textura y el sabor son mejores.

Sopa clara de pollo con champiñones

1 Remover la piel del pollo y retirar la grasa. Cortar las piezas por la mitad para obtener dos porciones de muslo y dos de pierna, reservar. En una cacerola grande calentar el aceite de cacahuate y el de ajonjolí. Agregar la cebolla y freír a fuego lento durante 10 minutos o hasta que esté suave sin que comience a tomar color.

2 Añadir a la cacerola el jengibre picado y freír durante 30 segundos, revolviendo constantemente para evitar que se pegue, y después verter el caldo. Añadir las piezas de pollo y el limoncillo, tapar, cocinar a fuego lento durante 15 minutos. Incorporar el arroz, cocinar durante 15 minutos más o hasta que el pollo esté cocido.

3 Retirar el pollo de la cacerola, dejar enfriar lo suficiente para manipularlo. Picar finamente la carne, devolver a la cacerola junto con los champiñones, las cebollas de cambray, la salsa de soya y el jerez. Cocinar a fuego lento durante 5 minutos o hasta que el arroz y los champiñones estén suaves. Retirar el limoncillo.

4 Sazonar la sopa al gusto con sal y pimienta. Servir porciones iguales de pollo y de verduras en tazones calientes, servir de inmediato.

Ingredientes PORCIONES 4

2 piernas grandes de pollo, con los muslos, de 450g/1lb de peso total
1 cucharada de aceite de cacahuate
1 cucharadita de aceite de ajonjolí
1 cebolla, pelada, rebanada muy finamente
Raíz de jengibre fresco de 2.5cm, pelada, picada muy finamente
1.1 litro de caldo de pollo
1 tallo de limoncillo, machacado
50g/2 oz de arroz de grano largo
75g /3 oz de champiñones botón, enjuagados, finamente rebanados
4 cebollas de cambray, cortadas en trozos de 5cm, picadas
1 cucharada de salsa de soya oscura
4 cucharadas de jerez seco
Sal y pimienta negra, recién molida

Dato culinario

La pasta taini es una pasta espesa hecha a partir de semillas de ajonjolí. Se encuentra en supermercados, tiendas especializadas y tiendas de comida oriental. Se usa mucho para hacer hummus (paté de garbanzos).

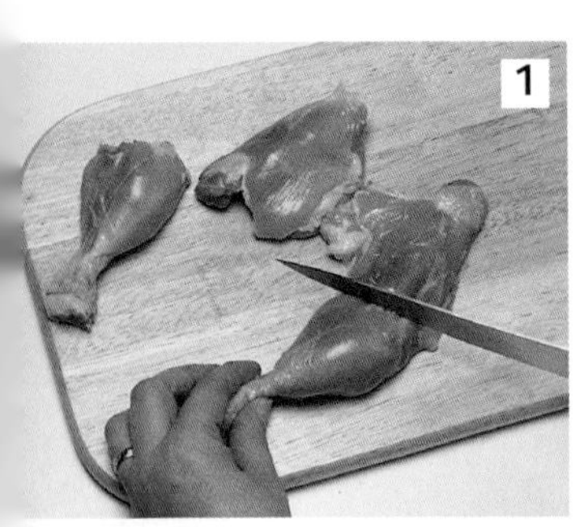
1

2

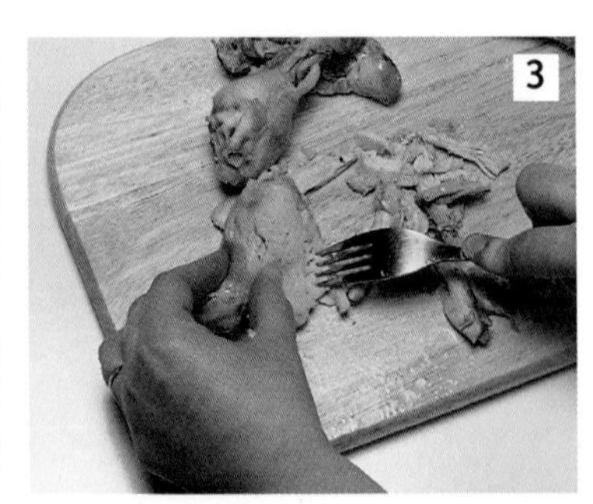
3

Sopa cremosa de pollo y tofu

1. Cortar el tofu en cubos de 1cm, secar sobre papel absorbente.

2. En una sartén de teflón calentar 1 cucharada del aceite. Freír el tofu en dos tandas de 3 a 4 minutos o hasta que tome color dorado. Retirar de la sartén, escurrir sobre papel absorbente y reservar.

3. En una cacerola grande calentar el resto del aceite. Agregar el ajo, el jengibre, el galangal y el limoncillo, freír durante 30 segundos aproximadamente. Incorporar la cúrcuma, verter el caldo y la leche de coco, dejar que suelte el hervor. Reducir a fuego lento, agregar la coliflor y las zanahorias, cocinar durante 10 minutos. Añadir los ejotes y hervir durante 5 minutos más.

4. Mientras, en una cacerola grande hervir agua con sal. Añadir los noodles, apagar el fuego, tapar y dejar cocinar o preparar siguiendo las instrucciones del paquete.

5. Retirar el limoncillo de la sopa. Colar los noodles e incorporarlos a la sopa junto con el pollo y el tofu. Sazonar al gusto con sal y pimienta, hervir a fuego lento de 2 a 3 minutos o hasta que esté bien caliente. Servir de inmediato en tazones calientes.

Ingredientes

PORCIONES 4-6

225g/8 oz de tofu firme, colado
3 cucharadas de aceite de cacahuate
1 diente de ajo, pelado, machacado
Raíz de jengibre fresco de 2.5cm, pelada, finamente picada
2.5cm de galangal fresco, pelado, finamente rebanado (si se encuentra; es un tallo también conocido como "jengibre azul")
1 tallo de limoncillo, machacado
1/4 cucharadita de cúrcuma, molida (condimento parecido al azafrán y al jengibre)
600ml de caldo de pollo
600ml de leche de coco
225g/8 oz de coliflor, cortada en racimos pequeños
1 zanahoria mediana, pelada, cortada en juliana fina
125g/4 oz de ejotes, cortados en mitades
75g/3 oz de noodles de huevo, finos
225g/8 oz de pollo, cocido, desmenuzado
Sal y pimienta negra recién molida

Dato culinario

El tofu se prepara a partir de frijoles de soya y se cuaja. Es originario de China y se hace de manera similar al queso.

Sopa de noodles y wontones

1 En un tazón colocar los champiñones, cubrir con agua caliente y dejar remojar durante 1 hora. Colar los champiñones, quitar y eliminar los tallos y picarlos. Devolver al tazón junto con los langostinos, la carne, las castañas, 2 cebollas de cambray y la clara. Sazonar al gusto con sal y pimienta. Mezclar bien.

2 Mezclar la maicena con 1 cucharada de agua fría para formar una pasta. Poner una lámina de wonton sobre una superficie, barnizar las orillas con la pasta. Colocar un poco menos de una cucharadita de la mezcla de la carne en el centro, doblar a la mitad para formar un triángulo, presionar bien las orillas para unirlas. Juntar las esquinas exteriores y unirlas con un poco de pasta. Repetir el procedimiento hasta terminar la mezcla de la carne (rinde entre 16 y 20 wontones).

3 En una cacerola grande y ancha verter el caldo, agregar las rebanadas de jengibre y dejar que suelte el hervor. Añadir los wontones y cocinar a fuego lento durante 5 minutos aproximadamente. Agregar los noodles y cocer durante 1 minuto. Incorporar la pak choi y cocer durante 2 minutos más o hasta que los noodles y la col estén suaves y los wontones floten en la superficie y estén bien cocidos.

4 Servir la sopa en tazones calientes, retirar el jengibre. Espolvorear encima el resto de las cebollas de cambray y servir de inmediato.

Ingredientes PORCIONES 4

4 hongos shiitake, limpios
125g/4 oz de langostinos crudos, pelados, finamente picados
125g/4 oz de carne de cerdo, molida
4 castañas de agua, finamente picadas
4 cebollas de cambray, finamente rebanadas
1 clara de huevo mediano
Sal y pimienta negra recién molida
1 ½ cucharaditas de maicena
1 paquete de envolturas para wonton, frescas
1.1 litros de caldo de pollo
Raíz de jengibre fresco de 2cm, pelada, rebanada
75g/3 oz de noodles de huevo, finos
125g/4 oz de pak choi, cortado en tiras (vegetal similar a la acelga)

Dato culinario

Las envolturas o láminas para wonton son hojas cuadradas de masa muy delgadas, casi transparentes, hechas de huevo y harina, miden aproximadamente 10cm. Cómpralas frescas o congeladas en los supermercados grandes o en tiendas especializadas.

1

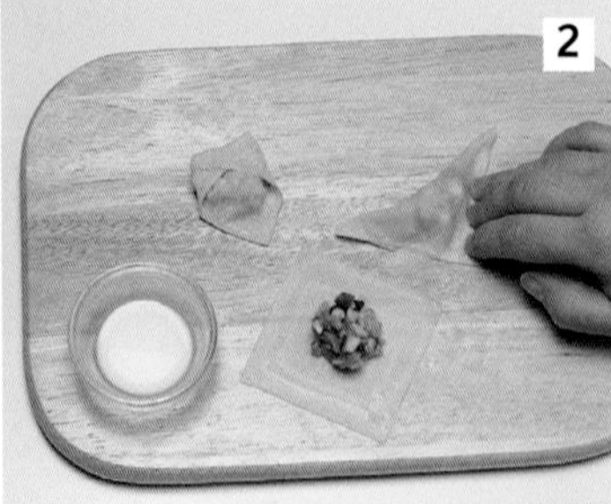
2

3

Sopa tai de mariscos

1. Pelar los langostinos. Con un cuchillo filoso retirar la vena de la parte posterior de los langostinos. Secar con papel absorbente y reservar.

2. Retirar la piel del pescado, secar con papel absorbente y cortar en trozos de 2.5cm. En un tazón colocar el pescado junto con los langostinos y los calamares. Rociar con el jugo de limón y reservar.

3. Frotar los mejillones, retirar las barbas y cualquier resto de suciedad. Desechar los mejillones abiertos, dañados o que no se cierren al darles golpecitos. En una cacerola grande colocar los mejillones y 150ml de leche de coco. Tapar y dejar que suelte el hervor, cocinar a fuego lento durante 5 minutos o hasta que los mejillones se abran, agitar la cacerola ocasionalmente. Sacar los mejillones y desechar los que no se hayan abierto, con un colador o muselina colar el líquido de cocción y reservar.

4. Enjuagar y secar la cacerola. Calentar el aceite de cacahuate, añadir la pasta de curry y cocinar durante 1 minuto, revolviendo constantemente. Agregar el limoncillo, las hojas de lima y la salsa de pescado, verter la leche de coco colada y el resto de la leche de coco. Dejar que suelte el hervor a fuego lento. Agregar la mezcla del pescado y cocinar de 2 a 3 minutos o hasta que apenas esté cocido. Agregar los mejillones, con o sin las conchas. Sazonar al gusto con sal y pimienta, ladear la cacerola para servir en tazones calientes. Decorar con hojas de cilantro y servir.

Ingredientes PORCIONES 4-6

350g /12 oz de langostinos, crudos
350g/12 oz de pescado blanco firme, como rape, bacalao o arenque
175g/6 oz de calamar, en aros pequeños
1 cucharada de jugo de limón amarillo
450g/1 lb de mejillones, vivos
400ml/15 fl oz de leche de coco
1 cucharada de aceite de cacahuate
2 cucharadas de pasta de curry tai rojo (condimento picante)
1 tallo de limoncillo, machacado
3 hojas de lima kaffir, finamente rebanadas (hojas de sabor cítrico y floral)
2 cucharadas de salsa de pescado tai
Sal y pimienta negra recién molida
Hojas de cilantro fresco, para decorar

Dato culinario

Rociar el pescado y los mariscos con jugo de limón mejora su textura pues el ácido del limón hace que la carne sea más firme.

Sopa con wontones

1 Cortar el pollo en 6 u 8 piezas, y colocarlo en una cacerola grande con agua junto con el resto de los ingredientes para el caldo. Calentar a fuego alto y dejar que suelte el hervor, quitando la espuma que se forme en la superficie. Reducir el fuego y cocinar a fuego lento de 2 a 3 horas, espumando ocasionalmente.

2 Colar el caldo en un colador fino y verter a un tazón grande. Dejar enfriar y refrigerar de 5 a 6 horas o durante toda la noche. Una vez frío, quitar la grasa pasando una hoja de papel absorbente por la superficie del caldo.

3 Calentar agua en una cacerola mediana hasta que hierva. Agregar los wontones y dejar que suelte el hervor. Dejar a fuego lento de 2 a 3 minutos o hasta que los wontones estén cocidos, revolviendo con frecuencia. Enjuagar bajo el chorro de agua fría, colar y reservar.

4 En un wok grande verter 300ml de caldo por persona. Dejar que suelte el hervor a fuego alto, quitar la espuma que se forme en la superficie y cocinar a fuego lento de 5 a 7 minutos para que se reduzca ligeramente. Añadir los wontones, la col china o espinacas, las zanahorias y las cebollas de cambray. Sazonar con unas cuantas gotas de salsa de soya y cocinar a fuego lento de 2 a 3 minutos más. Decorar con unas cuantas hojas de perejil y servir de inmediato.

Ingredientes

PORCIONES 6

Para el caldo de pollo:

900g/2 lb de pollo entero o en piezas
1–2 cebollas, peladas, cortadas en cuartos
2 zanahorias, peladas, picadas
2 tallos de apio, picados
1 puerro, picado
2 dientes de ajo, sin pelar, ligeramente machacados
1 cucharada de granos de pimienta negra
2 hojas de laurel
Manojo pequeño de perejil, sólo los tallos
2–3 rebanadas de raíz de jengibre fresco, pelada (opcional)
3.4 litros de agua fría

Para la sopa:

18 wontones
2–3 coles chinas o un manojo de espinacas, cortadas en tiras
1 zanahoria pequeña, pelada, cortada en juliana
2–4 cebollas de cambray, recortadas en rebanadas diagonales
Salsa de soya, al gusto
Manojo de perejil de hoja lisa, para decorar

1

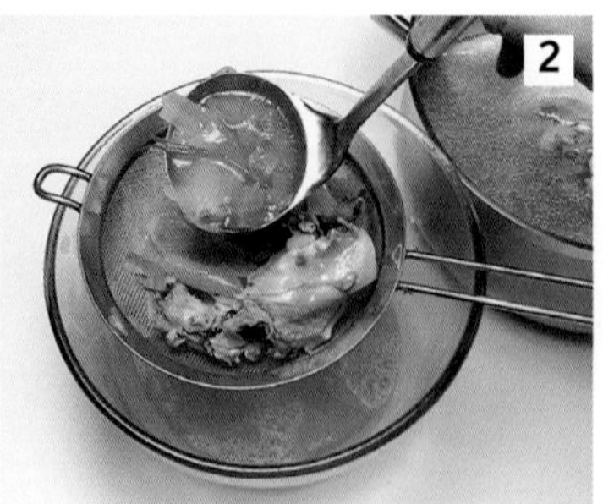
2

4

Sopa tai agrio-picante con langostinos

1 Torcer las cabezas de los langostinos para separarlas del cuerpo y reservarlas. Pelar los langostinos, dejar las colas y reservar la piel junto con las cabezas. Con un cuchillo filoso retirar la vena negra de la parte posterior de los langostinos. Enjuagarlos y secarlos, reservar. Enjuagar y secar las cabezas y la piel.

2 Calentar un wok, verter el aceite y, cuando esté caliente, añadir las cabezas y la piel de los langostinos junto con el limoncillo, el jengibre, el ajo, los tallos de cilantro y la pimienta negra, freír revolviendo de 2 a 3 minutos o hasta que las cabezas y la piel de los langostinos tomen un color rosado y todos los ingredientes tomen color.

3 Verter el agua al wok y dejar que suelte el hervor, quitando la espuma que se forme en la superficie. Cocinar a fuego medio durante 10 minutos o hasta que se reduzca un poco. Colar con un colador fino y devolver el caldo de los langostinos al wok.

4 Dejar que el caldo suelte el hervor y añadir los langostinos reservados junto con los chiles, las hojas de lima y las cebollas de cambray, cocinar a fuego lento durante 3 minutos o hasta que los langostinos tomen un color rosado. Sazonar con la salsa de pescado y el jugo de limón. Servir en tazones individuales calientes, repartiendo la misma cantidad de langostinos en cada uno, esparcir unas cuantas hojas de cilantro para que floten en la superficie.

Ingredientes PORCIONES 6

700g/1 ½ lb de langostinos grandes, crudos
2 cucharadas de aceite vegetal
3–4 tallos de limoncillo, sin las hojas exteriores, picados grueso
Raíz de jengibre fresco de 2.5cm, pelada, finamente picada
2–3 dientes de ajo, pelados, machacados
Manojo pequeño de cilantro fresco, hojas separadas y reservadas, tallos finamente picados
½ cucharadita de pimienta negra, recién molida
1.8 litros de agua
1–2 chiles verdes pequeños, sin semillas, finamente rebanados
6 hojas de lima kaffir, cortadas en tiras finas (hojas de sabor cítrico y floral)
4 cebollas de cambray, en rebanadas diagonales
1–2 cucharadas de salsa de pescado tai
1–2 cucharadas de jugo de limón verde, recién exprimido

Dato culinario

La salsa de pescado tai se hace de anchoas fermentadas y su sabor es agrio, salado y a pescado.

1

2

4

Sopa caribeña cremosa de pollo con coco

1 Recortar las cebollas de cambray y rebanar finamente; pelar el ajo y picar finamente. Cortar la parte superior del chile, cortar a lo largo y quitar las semillas y la membrana, picar finamente y reservar.

2 Quitar y eliminar los huesos y la piel del pollo cocido, deshebrar con dos tenedores y reservar.

3 Calentar el aceite en un wok grande, añadir las cebollas de cambray, el ajo y el chile; freír revolviendo durante 2 minutos o hasta que la cebolla se haya suavizado. Incorporar la cúrcuma y freír durante 1 minuto.

4 Licuar la leche de coco junto con el caldo de pollo y verter al wok. Añadir la sopa de pasta o el espagueti junto con las rebanadas de limón y dejar que suelte el hervor.

5 Cocinar a fuego lento, parcialmente tapado, de 10 a 12 minutos o hasta que la pasta esté suave, revolver ocasionalmente.

6 Retirar las rebanadas de limón del wok y agregar el pollo. Sazonar al gusto con sal y pimienta y cocinar a fuego lento de 2 a 3 minutos o hasta que el pollo esté bien caliente.

7 Incorporar el cilantro picado y servir en tazones calientes. Decorar con las ramitas de cilantro fresco y servir de inmediato.

Ingredientes PORCIONES 4

6–8 cebollas de cambray
2 dientes de ajo
1 chile rojo
175g/6 oz de pollo cocido, deshebrado o en cubos
2 cucharadas de aceite vegetal
1 cucharadita de cúrcuma (condimento parecido al azafrán y al jengibre)
300ml de leche de coco
900ml de caldo de pollo
50g/2 oz de sopa de pasta o espagueti, en trocitos pequeños
½ limón amarillo, rebanado
Sal y pimienta negra, recién molida
1–2 cucharadas de cilantro, recién picado
Ramitas de cilantro fresco, para decorar

Nuestra sugerencia

Ten cuidado al manipular los chiles. Usa guantes de plástico o lávate bien las manos con mucho jabón. Evita tocarte los ojos o cualquier otra área sensible.

Sopa de elotes dulces y cangrejo

1 Lavar y secar las mazorcas de elote. Colocar sobre una tabla para picar y sostener firmemente, con un cuchillo filoso cortar a lo largo de la mazorca para desgranar y raspar las mazorcas para retirar el residuo lechoso. Poner los granos y el residuo lechoso en un wok grande.

2 Agregar el caldo de pollo al wok y calentar a fuego alto. Dejar que suelte el hervor; presionar algunos granos contra la pared del wok para sacar la fécula y que la sopa se espese. Cocinar a fuego lento durante 15 minutos, revolviendo ocasionalmente.

3 Añadir las cebollas de cambray, el jengibre, el jerez o vino de arroz chino, la salsa de soya y el azúcar morena, sazonar al gusto con sal y pimienta. Hervir a fuego lento durante 5 minutos más, revolviendo ocasionalmente.

4 Diluir la maicena con 1 cucharada de agua fría para obtener una pasta suave e incorporar a la sopa. Devolver al fuego, cocinar a fuego medio hasta que espese.

5 Agregar la carne de cangrejo, revolviendo para incorporar. Batir la clara de huevo junto con el aceite de ajonjolí e incorporar a la sopa, en un chorro constante y sin dejar de revolver. Incorporar el cilantro picado y servir de inmediato.

Ingredientes PORCIONES 4

450g/1 lb de mazorcas de elote fresco
1.3 litros de caldo de pollo
2–3 cebollas de cambray, finamente picadas
Raíz de jengibre fresco de 1cm, pelada, finamente picada
1 cucharada de jerez seco o vino de arroz chino
2–3 cucharaditas de salsa de soya
1 cucharadita de azúcar morena clara, refinada
Sal y pimienta negra, recién molida
2 cucharaditas de maicena
225g/8 oz de carne blanca de cangrejo, fresca o de lata
1 clara de huevo mediano
1 cucharadita de aceite de ajonjolí
1–2 cucharadas de cilantro, recién picado

Consejo

Para el caldo de pollo hecho en casa sigue las instrucciones para la Sopa de wonton (ver página 56).

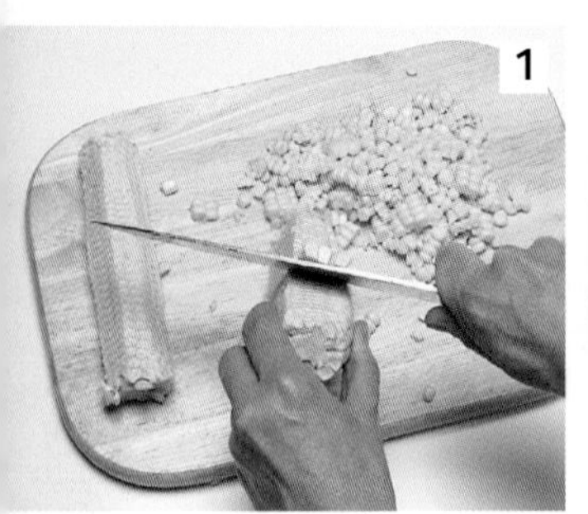

Sopa agrio-picante

1 En un tazón pequeño colocar los hongos shiitake deshidratados y verter agua casi hirviendo para cubrirlos. Dejar reposar durante 20 minutos para que se suavicen, sacarlos del agua y exprimir para eliminar el líquido. Desechar los tallos y rebanar finamente los sombreros y reservar.

2 Calentar el aceite en un wok grande, añadir las tiras de zanahoria y freír revolviendo de 2 a 3 minutos o hasta que comiencen a suavizarse. Agregar los champiñones y freír revolviendo de 2 a 3 minutos o hasta que estén dorados, incorporar el ajo y los chiles.

3 Verter el caldo de pollo a las verduras y dejar que suelte el hervor, quitando la espuma que se forme en la superficie. Agregar el pollo desmenuzado o la carne de cerdo, el tofu, las cebollas de cambray, el azúcar, el vinagre, la salsa de soya y los champiñones shiitake reservados y cocinar a fuego lento durante 5 minutos. Sazonar al gusto con sal y pimienta.

4 Diluir la maicena con 1 cucharada de agua fría para obtener una pasta suave e incorporarla a la sopa. Devolver al fuego y cocinar a fuego medio hasta que espese.

5 Batir el huevo con el aceite de ajonjolí e incorporar poco a poco a la sopa en un chorro fino y constante. Añadir el cilantro picado y servir de inmediato.

Ingredientes PORCIONES 4-6

25g/1 oz de hongos shiitake, deshidratados
2 cucharadas de aceite de cacahuate
1 zanahoria, pelada, cortada en juliana
125g/4 oz de champiñones, limpios, finamente rebanados
2 dientes de ajo, pelados, finamente picados
½ cucharadita de chiles secos, machacados
1.1 litros de caldo de pollo (ver página 56)
75g/3 oz de pollo cocido, sin hueso, o cerdo, cortado en tiras
125g/4 oz de tofu, finamente rebanado (opcional)
2–3 cebollas de cambray, finamente rebanadas en diagonal
1–2 cucharaditas de azúcar
3 cucharadas de vinagre de sidra
2 cucharadas de salsa de soya
Sal y pimienta negra, recién molida
1 cucharada de maicena
1 huevo grande
2 cucharaditas de aceite de ajonjolí
2 cucharadas de cilantro, recién picado

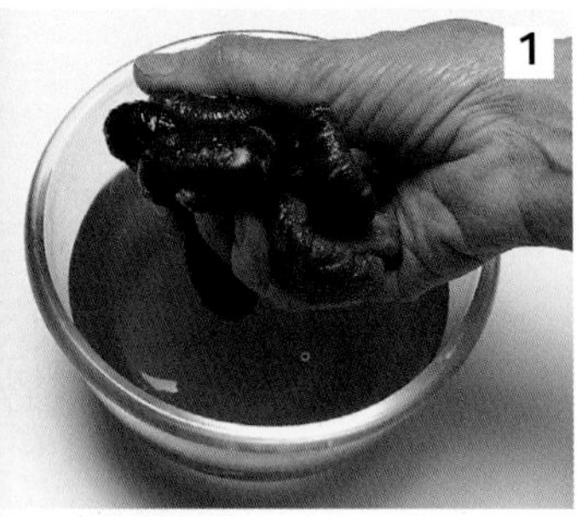

Sopa de col china con champiñones

1. Recortar la parte inferior de la col china y cortar por la mitad a lo largo. Con un cuchillo retirar el centro triangular y cortar en rebanadas de 2.5cm y reservar.

2. En un tazón colocar los hongos shiitake deshidratados y verter suficiente agua casi hirviendo para cubrirlos. Dejar reposar durante 20 minutos para que se suavicen, sacarlos del agua y exprimir para retirar el líquido. Desechar los tallos, rebanar finamente los sombreros y reservar. Pasar el líquido por un colador forrado con una muselina o filtro de papel para café y reservar.

3. Calentar el aceite en un wok a fuego medio, añadir el tocino. Freír revolviendo de 3 a 4 minutos o hasta que esté crujiente y dorado, revolviendo con frecuencia. Agregar el jengibre y los champiñones, freír revolviendo de 2 a 3 minutos más.

4. Verter el caldo de pollo y dejar que suelte el hervor, quitando la grasa y la espuma que se forma en la superficie. Añadir las cebollas de cambray, el jerez o el vino de arroz, la col china y los hongos shiitake y sazonar al gusto con sal y pimienta. Verter el líquido de cocción reservado y reducir el fuego al mínimo.

5. Cocinar a fuego muy lento, tapado, hasta que todas las verduras estén muy suaves, aproximadamente 10 minutos. Verter un poco de agua si el líquido se reduce demasiado. Servir en tazones y bañar con un poco de aceite de ajonjolí. Servir de inmediato.

Ingredientes PORCIONES 4-6

450g/1 lb de col china
25g/1 oz de hongos shiitake, deshidratados
1 cucharada de aceite vegetal
75g/3 oz de tocino ahumado, picado
Raíz de jengibre fresco de 2.5cm, pelada, finamente picada
175g/6 oz de champiñones, finamente rebanados
1.1 litros de caldo de pollo
4–6 cebollas de cambray, cortadas en trozos pequeños
2 cucharadas de jerez seco o vino de arroz chino
Sal y pimienta negra, recién molida
Aceite de ajonjolí, para bañar

Consejo
Si no encuentras col china puedes usar col savoy.

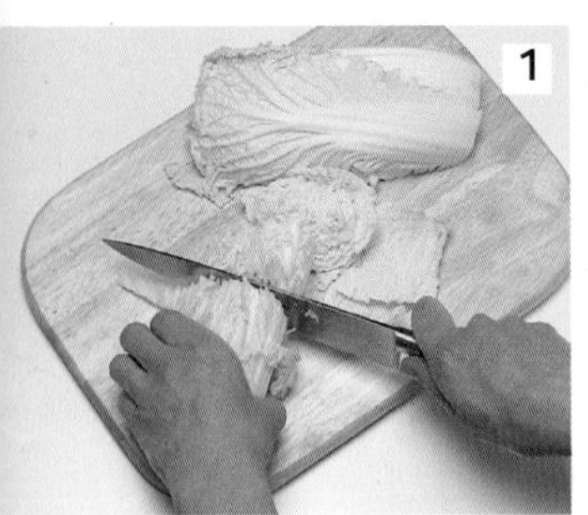
1

3

4

Sopa vietnamita de res con noodles de arroz

Ingredientes PORCIONES 4-6

Para el caldo de res:

900g/2 lb de huesos de res con carne
1 cebolla grande, pelada, cortada en cuartos
2 zanahorias, peladas, cortadas en trozos
2 tallos de apio, rebanados
1 puerro, lavado, cortado en trozos
2 dientes de ajo, sin pelar, ligeramente machacados
3 anís estrella enteros
1 cucharadita de granos de pimienta negra

Para la sopa:

175g/6 oz de noodles de arroz, secos
4–6 cebollas de cambray, rebanadas en diagonal
1 chile rojo, sin semillas, rebanado en diagonal
1 manojo pequeño de cilantro fresco
1 manojo pequeño de menta fresca
350g/12 oz de filete de res, muy finamente rebanado
Sal y pimienta negra, recién molida

1. En una cacerola grande colocar todos los ingredientes para el caldo de res y cubrir con agua fría. Dejar que suelte el hervor y quitar la espuma que se forme en la superficie. Reducir el fuego y cocinar a fuego lento, parcialmente tapada, de 2 a 3 horas, espumando ocasionalmente.

2. Colar y pasar a un tazón grande, dejar enfriar un poco, quitar la grasa de la superficie. Enfriar en el refrigerador y, cuando esté frío, retirar la grasa de la superficie. Verter 1.7 litros del caldo a un wok grande y reservar.

3. Cubrir los noodles con agua caliente y dejar reposar durante 3 minutos o hasta que apenas estén suaves. Colar, cortar en trozos de 10cm.

4. En un plato para servir acomodar las cebollas de cambray y el chile. Quitar las hojas del cilantro y la menta, acomodarlas sobre el plato.

5. Llevar a ebullición el caldo en el wok a fuego alto. Agregar los noodles y cocinar a fuego lento durante 2 minutos o hasta que estén suaves. Añadir las tiras de res y cocinar a fuego lento durante 1 minuto más. Sazonar al gusto con sal y pimienta.

6. Servir la sopa con los noodles y las tiras de res en tazones individuales y servir de inmediato con el plato de los condimentos separado.

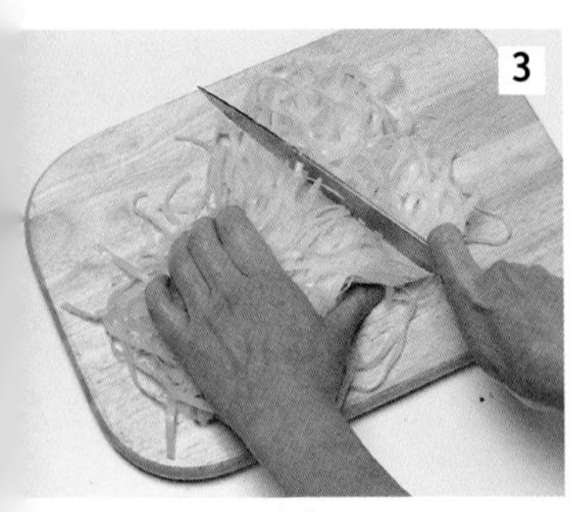

Sopa malaya de noodles de arroz

1 En una cacerola grande colocar el pollo con los granos de pimienta y cubrir con agua fría. Dejar que suelte el hervor, quitando la espuma que se forme en la superficie. Cocinar a fuego lento, parcialmente tapada, durante 1 hora aproximadamente. Retirar el pollo y dejar enfriar. Quitar la grasa de la superficie del caldo y colar en un colador forrado con una muselina, reservar. Separar la carne del hueso, desmenuzar y reservar.

2 Calentar un wok grande, verter el aceite y, cuando esté caliente, añadir la cebolla y freír revolviendo durante 2 minutos o hasta que comience a tomar color. Incorporar el ajo, el jengibre, el cilantro, los chiles, el curry en pasta y freír revolviendo durante 2 minutos más.

3 Verter el caldo reservado (por lo menos 1.1 litros) y cocinar a fuego lento, parcialmente tapado, durante 10 minutos o hasta que reduzca ligeramente.

4 Añadir la leche de coco, los langostinos, la col china, el azúcar, las cebollas de cambray y el germen de soya y cocinar a fuego lento durante 3 minutos, revolviendo ocasionalmente. Agregar el pollo desmenuzado reservado y cocinar durante 2 minutos más.

5 Colar los noodles y repartirlos entre cuatro y seis tazones individuales. Servir el caldo caliente y las verduras en los tazones, repartir los camarones y el pollo. Decorar cada tazón con las hojas de menta fresca y servir de inmediato.

Ingredientes PORCIONES 4-6

- 1.1kg/2 ½ lb de pollo de granja
- 1 cucharadita de granos de pimienta negra
- 1 cucharada de aceite vegetal
- 1 cebolla grande, pelada, finamente rebanada
- 2 dientes de ajo, pelados, finamente picados
- Raíz de jengibre fresco de 2.5cm, pelada, finamente rallada
- 1 cucharadita de cilantro, molido
- 2 chiles rojos, sin semillas, rebanados en diagonal
- 1–2 cucharaditas de curry en pasta, picante
- 400ml/14 fl oz de leche de coco
- 450g/1 lb de langostinos grandes, pelados, sin vena
- ½ cabeza de col china pequeña, finamente rebanada
- 1 cucharadita de azúcar
- 2 cebollas de cambray, finamente rebanadas
- 125g/4 oz de germen de soya
- 250g/9 oz de noodles de arroz o fideos de arroz, remojados según las instrucciones del paquete
- Hojas de menta fresca, para decorar

Sopa picante de langostinos

1 Colocar los noodles en agua fría y dejar remojando mientras se prepara la sopa. En un tazón pequeño colocar los hongos deshidratados, cubrir con agua casi hirviendo y dejar reposar de 20 a 30 minutos. Escurrir, colar y reservar el líquido de remojo, eliminar los tallos duros de los hongos.

2 Cortar en tiras finas las cebollas de cambray y colocarlas en un tazón pequeño. Cubrir con agua fría con hielo y refrigerar hasta usarlas y que las cebollas de cambray se hayan rizado.

3 Colocar los chiles verdes con 2 cucharadas del cilantro picado en un mortero y machacar hasta obtener una pasta. Reservar.

4 Calentar el caldo en una cacerola y dejar que suelte el hervor a fuego lento. Incorporar el jengibre, el limoncillo y las hojas de lima junto con los hongos reservados y el líquido de remojo. Devolver a ebullición.

5 Colar los noodles y añadirlos a la sopa junto con los langostinos, la salsa de pescado tai y el jugo de limón; incorporar la pasta de chile y cilantro. Dejar que suelte el hervor y cocinar a fuego lento durante 3 minutos. Incorporar el resto del cilantro picado y sazonar al gusto con sal y pimienta. Servir en tazones calientes, espolvorear la cebolla de cambray rizada y servir de inmediato.

Ingredientes

PORCIONES 4

50g/2 oz de noodles de arroz
25g/1 oz de hongos shiitake, deshidratados
4 cebollas de cambray, cortadas en tiras
2 chiles verdes pequeños
3 cucharadas de cilantro, recién picado
600ml de caldo de pollo
Raíz de jengibre fresco de 2.5cm, pelada, rallada
2 tallos de limoncillo, sin las hojas exteriores, finamente picado
4 hojas de lima kaffir (hojas de sabor cítrico y floral)
12 langostinos tigre, pelados, con colas
2 cucharadas de salsa de pescado tai
2 cucharadas de jugo de limón verde
Sal y pimienta negra, recién molida

Nuestra sugerencia

Después de remojar los hongos enjuágalos bajo el chorro de agua fría y retira la tierra. Cuela el líquido de remojo con un colador muy fino o con una muselina antes de añadirlo al caldo.

Sopa de alubias blancas con crutones de parmesano

1 Precalentar el horno a 200°C/400°F. En un tazón colocar los cubos de pan y bañar con el aceite de cacahuate. Revolver para cubrir el pan y espolvorear encima el queso parmesano. Colocar sobre una charola para horno ligeramente engrasada y asar en el horno precalentado durante 10 minutos o hasta que estén crujientes y dorados.

2 En una cacerola grande calentar el aceite de oliva y freír la cebolla de 4 a 5 minutos hasta que se suavice. Agregar el tocino y el tomillo, freír durante 3 minutos más. Incorporar las alubias, el caldo y la pimienta negra, cocinar a fuego lento durante 5 minutos.

3 Colocar la mitad de la mezcla de las alubias en un procesador de alimentos junto con el líquido y licuar hasta que esté suave.

4 Devolver el puré a la cacerola. Incorporar la salsa de pesto, el peperoni y el jugo de limón, sazonar al gusto con sal y pimienta.

5 Devolver la sopa al fuego y cocinar de 2 a 3 minutos o hasta que esté muy caliente. Colocar algunas alubias en tazones para servir y verter la sopa encima. Decorar con la albahaca rallada y servir de inmediato con los crutones esparcidos en la sopa.

Ingredientes PORCIONES 4

3 rebanadas gruesas de pan blanco, cortadas en cubos de 1cm
3 cucharadas de aceite de cacahuate
2 cucharadas de queso parmesano, finamente rallado
1 cucharada de aceite de oliva
1 cebolla grande, pelada, finamente picada
50g/2 oz de tocino, sin ahumar, en cubos
1 cucharada de hojas de tomillo fresco
2 latas de 400g de alubias cannellini, coladas
900ml de caldo de pollo
Sal y pimienta negra, recién molida
1 cucharada de salsa de pesto
50g/2 oz de peperoni, en cubos
1 cucharada de jugo fresco de limón amarillo
1 cucharada de albahaca fresca, picada grueso

1

2

4

Sopa de arroz con palitos de papa

1 Precalentar el horno a 190ºC/375ºF. En una cacerola calentar 25g/1 oz de la mantequilla con el aceite de oliva y freír la cebolla de 4 a 5 minutos hasta que se suavice, agregar el jamón de Parma y freír durante 1 minuto aproximadamente. Incorporar el arroz, el caldo y los chícharos. Sazonar al gusto con sal y pimienta, cocinar a fuego lento de 10 a 15 minutos o hasta que el arroz esté suave.

2 Batir el huevo y 125g/4 oz de la mantequilla hasta que esté cremoso, incorporar la harina, una pizca de sal y las papas. Batir hasta formar una masa tersa y manejable; añadir un poco más de harina si es necesario.

3 Amasar la mezcla sobre una superficie ligeramente enharinada y formar un rectángulo de 1cm de grosor y cortar en 12 tiras largas y finas. Barnizar con la leche y esparcir encima las semillas de amapola. Colocar los palitos sobre una charola para horno ligeramente engrasada y hornear durante 15 minutos o hasta que estén dorados.

4 Cuando el arroz esté cocido incorporar el resto de la mantequilla y el queso Parmesano a la sopa, espolvorear encima el perejil picado. Servir de inmediato con los palitos de papa calientes.

Ingredientes PORCIONES 4

175g/6 oz de mantequilla
1 cucharadita de aceite de oliva
1 cebolla grande, pelada y finamente picada
4 rebanadas de jamón de Parma, picadas
100g/3 ½ oz de arroz Arborio o de grano corto
1.1litros de caldo de pollo
350g/12 oz de chícharos, congelados
Sal y pimienta negra, recién molida
1 huevo mediano
125g/4 oz de harina
1 1/4 cucharaditas de polvo para hornear
175g/6 oz de papas, machacadas
1 cucharada de leche
1 cucharada de semillas de amapola
1 cucharada de queso Parmesano, finamente rallado
1 cucharada de perejil, recién picado

Consejo

Estos palitos de papa también son una rica botana para acompañar bebidas. Espolvorea encima semillas de ajonjolí o queso rallado y deja que se enfríen antes de servirlos.

1

2

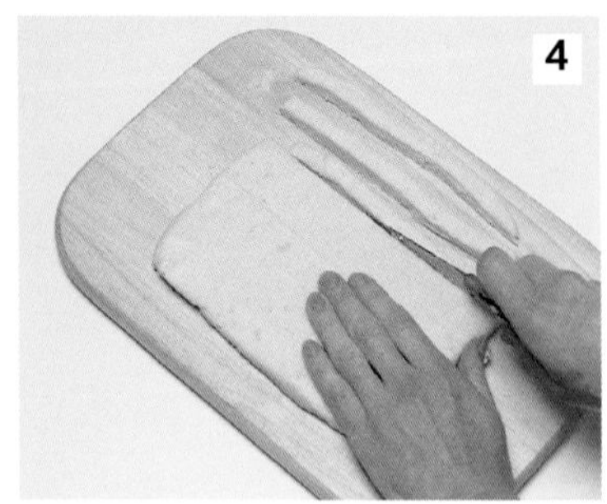
4

Sopa de jitomate con pimientos rojos asados

1 Precalentar el horno a 200°C/400°F. Engrasar ligeramente una charola para rostizar con 1 cucharada del aceite de oliva. Colocar los pimientos y los jitomates en la charola, con el corte hacia abajo, junto con la cebolla cortada en cuartos y los dientes de ajo. Verter encima el resto del aceite.

2 Asar en el horno precalentado durante 30 minutos o hasta que la piel de los pimientos haya comenzado a inflarse. Dejar que las verduras se enfríen durante 10 minutos antes de pelar los pimientos, quitarles los tallos y las semillas. Pelar los jitomates, las cebollas y los ajos.

3 En un procesador de alimentos o en una licuadora colocar las verduras cocidas y licuar hasta que estén suaves. Verter el caldo y licuar de nuevo hasta obtener un puré terso. Pasar la mezcla por un colador para obtener una sopa, y ponerla en una cacerola. Dejar que suelte el hervor, cocinar a fuego lento de 2 a 3 minutos y sazonar al gusto con sal y pimienta. Servir caliente con una cucharada de crema agria y un poco de albahaca picada encima.

Ingredientes PORCIONES 4

2 cucharaditas de aceite de oliva
700g/1 ½ lb de pimientos rojos, en mitades, sin semillas
450g/1 lb de jitomates maduros, en mitades
2 cebollas, sin pelar, en cuartos
4 dientes de ajo, sin pelar
Sal y pimienta negra, recién molida
4 cucharadas de crema agria
1 cucharada de albahaca, recién picada

Nuestra sugerencia

Una manera rápida y sencilla de quitar la piel de los pimientos una vez que están tostados o asados es colocarlos en una bolsa de plástico. Deja que reposen durante 10 minutos o hasta que no estén tan calientes y puedas manipularos, la piel debe quitarse con facilidad.

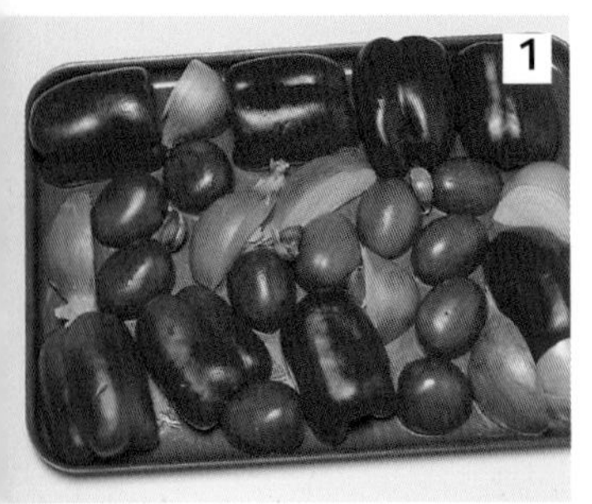

Sopa de rúcula y papas con crutones de ajo

1 En una cacerola grande colocar las papitas y cubrir con el caldo, cocinar a fuego lento durante 10 minutos. Añadir las hojas de rúcula y cocinar a fuego lento de 5 a 10 minutos más, o hasta que las papas estén suaves y la rúcula se haya marchitado.

2 Mientras, preparar los crutones. Cortar el pan rebanado en cubos pequeños y reservar. En una sartén pequeña calentar la mantequilla y el aceite de cacahuate, freír el ajo durante 1 minuto, revolviendo bien. Agregar los cubos de pan a la mezcla de la mantequilla y aceite y saltear, revolviendo constantemente, hasta que tomen un color dorado. Escurrir los crutones sobre papel absorbente y reservar.

3 Cortar el pan chapata en cubos pequeños e incorporar a la sopa. Cubrir la cacerola y dejar reposar durante 10 minutos o hasta que el pan haya absorbido gran parte del líquido.

4 Incorporar el aceite de oliva, sazonar al gusto con sal y pimienta y servir de inmediato con unos cuantos crutones encima y un poco de queso Parmesano rallado.

Ingredientes PORCIONES 4

700g/1 ½ lb de papitas cambray
1.1litros de caldo de pollo o de verduras
50g/2 oz de hojas de rúcula
125g/4 oz de pan blanco, rebanado grueso
50g/2 oz de mantequilla, sin sal
1 cucharadita de aceite de cacahuate
2–4 dientes de ajo, pelados, picados
125g/4 oz de pan, del día anterior, sin costras
4 cucharadas de aceite de oliva
Sal y pimienta negra, recién molida
2 cucharadas de queso Parmesano, finamente rallado

Nuestra sugerencia

En la mayoría de los supermercados venden la rúcula en bolsas. Si no encuentras rúcula puedes sustituirla por la misma cantidad de berros u hojas de espinacas baby.

1

2

3

Sopa minestrone

1 En una cacerola grande calentar la mantequilla con el aceite de oliva. Picar el tocino y añadir a la cacerola. Freír de 3 a 4 minutos, retirar con una cuchara coladora y reservar.

2 Picar finamente la cebolla, el ajo, el apio y las zanahorias y agregar a la cacerola, un ingrediente a la vez, revolviendo bien después de cada adición. Tapar y cocinar ligeramente de 8 a 10 minutos, hasta que las verduras se hayan suavizado.

3 Añadir los tomates picados con su jugo y dejar que suelte el hervor, tapar la cacerola, reducir el fuego y cocinar a fuego lento durante 20 minutos aproximadamente.

4 Incorporar la col, los ejotes, los chícharos y los trozos de espagueti. Tapar y cocinar a fuego lento durante 20 minutos más o hasta que todos los ingredientes estén suaves. Sazonar al gusto con sal y pimienta.

5 Devolver el tocino cocido a la cacerola y dejar que la sopa suelte el hervor. Servir la sopa de inmediato con las láminas de queso parmesano encima y suficiente pan crujiente para acompañar.

Ingredientes PORCIONES 6-8

25g/1 oz de mantequilla
3 cucharadas de aceite de oliva
3 tiras de tocino, con vetas
1 cebolla grande, pelada
1 diente de ajo, pelado
1 tallo de apio, picado
2 zanahorias, peladas
400g de tomates, de lata, picados
1.1 litros de caldo de pollo
175g/6 oz de col verde, finamente cortada en tiras
50g/2 oz de ejotes, en mitades
3 cucharadas de chícharos, congelados
50g/2 oz de espagueti, roto en trozos pequeños
Sal y pimienta negra, recién molida
Queso parmesano, en láminas, para decorar
Pan crujiente, para servir

Crema de calabaza de Castilla

1 Quitar la cáscara de la calabaza, quitar las semillas y cortar la pulpa en cubos de 2.5cm. En una cacerola grande calentar el aceite de oliva, freír la calabaza de 2 a 3 minutos, bañándola completamente con el aceite. Picar la cebolla y el puerro finamente, cortar la zanahoria y el apio en cubos pequeños.

2 Agregar las verduras a la cacerola junto con el ajo, freír revolviendo durante 5 minutos, o hasta que comiencen a suavizarse. Cubrir las verduras con el agua, dejar que suelte el hervor. Sazonar con suficiente sal y pimienta y la nuez moscada, tapar, cocinar a fuego lento de 15 a 20 minutos o hasta que todas las verduras estén cocidas.

3 Cuando las verduras estén suaves, retirar la cacerola del fuego, dejar enfriar un poco y colocarlas en un procesador de alimentos o licuadora. Licuar hasta obtener un puré suave, pasarlo por un colador sobre una cacerola limpia.

4 Ajustar la sazón al gusto, añadir la crema excepto 2 cucharadas, y agua suficiente para obtener la consistencia adecuada. Dejar que llegue a ebullición, agregar la pimienta de Cayena, servir en tazones individuales calientes, añadir la crema reservada y servir de inmediato con pan de hierbas caliente.

Ingredientes PORCIONES 4

900g/2 lb de calabaza de Castilla, sólo la pulpa, pelada, sin semillas
4 cucharadas de aceite de oliva
1 cebolla grande, pelada
1 puerro, picado
1 zanahoria, pelada
2 tallos de apio
4 dientes de ajo, pelados, machacados
1.7 litros de agua
Sal y pimienta negra, recién molida
¼ cucharadita de nuez moscada, recién molida
150ml de crema baja en calorías
¼ cucharadita de pimienta de Cayena
Pan de hierbas caliente, para servir

Dato culinario

Si no encuentras calabaza de Castilla puedes reemplazarla con calabacita verde. También puedes sustituirla por calabaza amarilla (o butternut), bellota o turbante. Evita usar la calabaza cabello de ángel pues no se conserva firme al cocinarla.

Entradas

Esta sección contiene una amplia selección de ricos platillos que puedes preparar como entradas o como botanas deliciosas cuando no necesites una comida completa. Unimos influencias de todo el mundo para agasajar a tus papilas gustativas, con una selección que incluye desde Pastelitos de cangrejo tai y Dip de berenjena tostada con tiras de pan pita, hasta Crepas picantes de res y Costillas braseadas.

Paté de champiñones con vino tinto

1 Precalienta el horno a 180°C/350°F. Cortar el pan en mitades diagonalmente. Colocar los triángulos de pan en una charola para horno y hornear durante 10 minutos.

2 Retirar del horno y cortar cada triángulo de pan en mitades para obtener 12 triángulos, devolver al horno hasta que estén dorados y crujientes. Dejar enfriar sobre una rejilla.

3 En una cacerola calentar el aceite y freír ligeramente la cebolla y el ajo hasta que estén transparentes.

4 Agregar los champiñones y freír, revolviendo, de 3 a 4 minutos o hasta que los champiñones comiencen a soltar el líquido.

5 Incorporar el vino y las hierbas a la mezcla de los champiñones y dejar que suelte el hervor. Reducir el fuego y cocinar a fuego lento, sin tapar, hasta que todo el líquido se haya absorbido.

6 Retirar del fuego y sazonar al gusto con sal y pimienta, dejar enfriar.

7 Cuando esté frío incorporar el queso crema suavizado y ajustar la sazón. Servir en un tazón pequeño y limpio, refrigerar hasta usarlo. Presentar los triángulos de pan junto con el pepino y el jitomate.

Ingredientes PORCIONES 4

3 rebanadas grandes de pan blanco, sin costras
2 cucharaditas de aceite
1 cebolla pequeña, pelada, finamente picada
1 diente de ajo, pelado, machacado
350g/12 oz de champiñones botón, limpios, finamente picados
150ml de vino tinto
½ cucharadita de hierbas mixtas, secas
1 cucharada de perejil, recién picado
Sal y pimienta negra, recién molida
2 cucharadas de queso crema

Para servir:
Pepino, finamente picado
Jitomate, finamente picado

Dato culinario
Este paté también es delicioso si lo sirves como *topping* para bruschetta. Tuesta rebanadas de pan chapata y unta generosamente el paté encima, decora con un poco de rúcula.

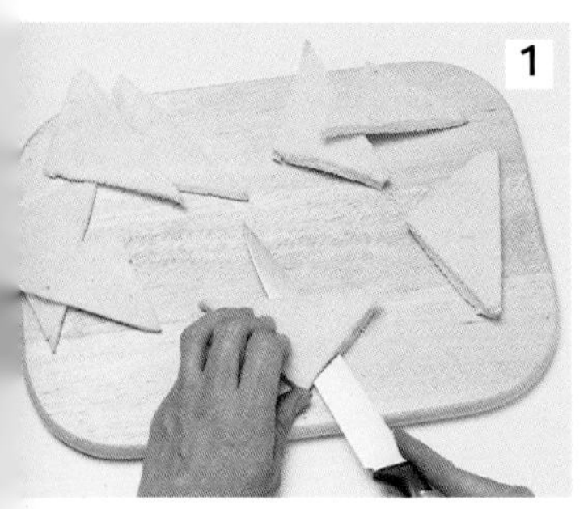

Pastelitos de pescado estilo tai

1. Precalentar el horno a 190ºC/375ºF. En un procesador de alimentos colocar el chile, el cilantro, el ajo, las cebollas de cambray y el limoncillo, licuar para mezclar.
2. Con papel absorbente secar los langostinos y el bacalao.
3. Agregar al procesador de alimentos y licuar hasta que la mezcla esté picada grueso.
4. Sazonar al gusto con sal y pimienta, mezclar un poco.
5. Con las manos húmedas, tomar una cucharada copeteada de la mezcla y formar tortitas pequeñas. Formar 12 tortitas.
6. Colocar las tortitas sobre una charola ligeramente engrasada, hornear 12 a 15 minutos o hasta que estén bien calientes. A la mitad de la cocción voltear las tortitas.
7. Servir los pastelitos de pescado de inmediato con la salsa de chile dulce.

Ingredientes PORCIONES 4

1 chile rojo, sin semillas, picado grueso
4 cucharadas de cilantro fresco, picado grueso
1 diente de ajo, pelado, machacado
2 cebollas de cambray, picadas grueso
1 limoncillo, sin las hojas exteriores, picado grueso
75g/3 oz de langostinos, descongelados
275g/10 oz de filetes de bacalao, sin piel, sin espinas, cortados en cubos
Sal y pimienta negra, recién molida
Salsa de chile dulce para remojar, para servir

Consejo

En lugar de la salsa de chile dulce puedes acompañar con rábano picante si quieres un dip más cremoso. Mezcla 2 cucharadas de rábano rallado (de bote) con 3 cucharadas de yogur griego y 3 cucharadas de mayonesa baja en calorías. Añade 3 cebollas de cambray finamente picadas, un poco de jugo de limón verde y sal y pimienta al gusto.

Crepas de pollo hoisin

1 Precalentar el horno a 190°C/375°F. En un tazón que no sea de metal mezclar la salsa hoisin con el ajo, el jengibre, la salsa de soya, el aceite de ajonjolí y sazonar.

2 Agregar los muslos de pollo y revolver para bañar con la mezcla. Tapar holgadamente y refrigerar de 3 a 4 horas para que se marine, volteando el pollo de vez en cuando.

3 Retirar el pollo de la marinada y colocarlo en una charola para rostizar. Reservar la marinada. Hornear durante 30 minutos bañándolo ocasionalmente con la marinada.

4 Cortar el pepino en mitades a lo largo y raspar el centro con una cuchara pequeña para retirar las semillas. Cortar en tiras.

5 En una vaporera colocar las crepas para calentarlas o cocerlas, según las instrucciones del paquete. Rebanar finamente el pollo caliente y acomodar en un plato junto con las cebollas de cambray, el pepino y las crepas.

6 Colocar una cucharada del pollo en el centro de cada crepa caliente y encima las tiras de pepino, de cebolla de cambray y un poco de salsa. Enrollar y servir de inmediato.

Ingredientes PORCIONES 4

3 cucharadas de salsa hoisin
1 diente de ajo, pelado, machacado
Raíz de jengibre fresco de 2.5cm, pelada, finamente rallada
1 cucharada de salsa de soya
1 cucharadita de aceite de ajonjolí
Sal y pimienta negra, recién molida
4 muslos de pollo, sin piel
½ pepino, pelado (opcional)
12 crepas chinas
6 cebollas de cambray, cortadas a lo largo en tiras finas
Salsa de chile dulce como dip, para servir

Consejo

Para las personas alérgicas al trigo o si quieres hacer que el platillo sea más sustancioso fríe las cebollas de cambray y el pepino en un poco de aceite de cacahuate. Agrega zanahoria cortada en tiras e incorpora todo al pollo finamente desmenuzado con la marinada reservada (como se indica en el paso 3). Sirve con arroz cocido al vapor —el arroz aromático tai es especialmente bueno.

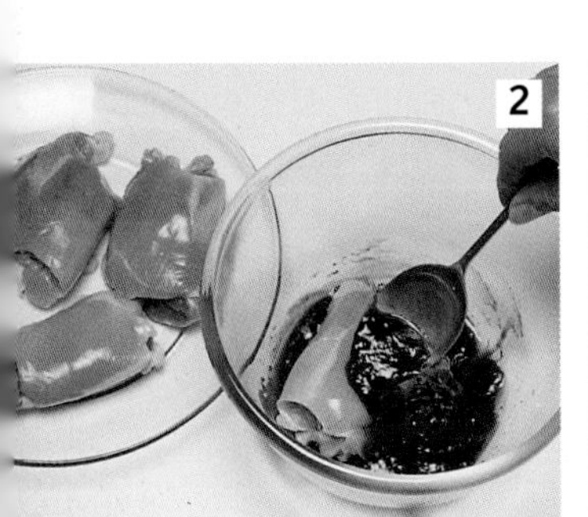
2

4

5

Champiñones picantes con hierbas

1 Precalentar el horno a 180°C/350°F. Con un rodillo aplanar cada rebanada de pan hasta que queden muy finas.

2 Cortar cada pedazo de pan con un cortador para galletas de 10cm y hornear durante 20 minutos.

3 En una sartén colocar los champiñones junto con el ajo, la mostaza y el caldo de pollo, freír revolviendo a fuego medio, hasta que los champiñones estén tiernos y el líquido se haya reducido a la mitad.

4 Retirar los champiñones de la sartén con una cuchara coladora y ponerlos en un recipiente resistente al fuego. Tapar con papel aluminio y acomodar en la parte inferior del horno para mantenerlos calientes.

5 Hervir el resto del líquido de cocción para obtener una salsa espesa. Sazonar con sal y pimienta.

6 Incorporar el perejil y el cebollín a la mezcla de los champiñones.

7 Colocar un pan en cada plato para servir y repartir la mezcla de los champiñones.

8 Bañar con el líquido de cocción, decorar con el cebollín y servir de inmediato con las hojas mixtas para ensalada.

Ingredientes PORCIONES 4

4 rebanadas finas de pan blanco, sin costras
125g/4 oz de champiñones botón, limpios, rebanados
125g/4 oz de champiñones ostra, limpios
1 diente de ajo, pelado, machacado
1 cucharadita de mostaza de Dijon
300ml de caldo de pollo
Sal y pimienta negra, recién molida
1 cucharada de perejil, recién picado
1 cucharadita de cebollín, recién picado, más extra para decorar
Hojas mixtas para ensalada, para servir

Dato culinario

Los champiñones son un alimento muy nutritivo, son ricos en vitaminas y minerales, los cuales ayudan a mejorar el sistema inmunológico. Puedes modificar esta receta añadiendo hongos shiitake; los estudios demuestran que estimulan y fortalecen en gran medida al sistema inmunológico y ayudan proteger al cuerpo contra el cáncer.

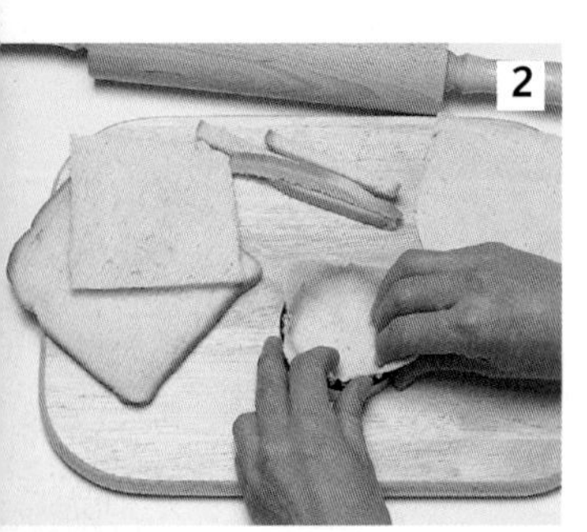
2

3

5

Pasteles de pollo con cilantro y salsa de soya

1 Precalentar el horno a 190°C/375°F. Cortar el pepino por la mitad a lo largo, quitar las semillas y cortar en cubos.

2 En un tazón mezclar el chalote y los rábanos. Refrigerar hasta servir con el pepino en cubos,

3 En un procesador de alimentos colocar los muslos de pollo y picar grueso.

4 Agregar el cilantro y las cebollas de cambray al pollo junto con el chile, la ralladura de limón y la salsa de soya. Picar de nuevo hasta mezclar bien.

5 Con las manos un poco húmedas formar la mezcla del pollo en 12 discos pequeños.

6 Colocar los discos en una charola para horno ligeramente engrasada y hornear durante 15 minutos, hasta que estén dorados.

7 En una sartén pequeña calentar el azúcar con 2 cucharadas de agua hasta que se disuelva. Hervir a fuego lento hasta obtener un jarabe.

8 Retirar del fuego y dejar enfriar un poco antes de incorporar el vinagre y las rebanadas de chile. Verter sobre la ensalada de pepino, rábano y chalote. Decorar con el cilantro picado y servir de inmediato con los pastelitos de pollo y la ensalada.

Ingredientes PORCIONES 4

½ pepino, pelado
1 chalote, pelado, finamente rebanado
6 rábanos, rebanados
350g/12 oz de muslos de pollo, sin piel, sin hueso
4 cucharadas de cilantro fresco, picado grueso
2 cebollas de cambray, picadas grueso
1 chile rojo, sin semillas, picado
Ralladura fina de ½ limón verde
2 cucharadas de salsa de soya
1 cucharada de azúcar extrafina
2 cucharadas de vinagre de arroz
1 chile rojo, sin semillas, finamente rebanado
Cilantro recién picado, para decorar

Dato culinario

Puedes modificar esta receta y usar la mitad de pollo y la mitad de carne magra de cerdo. Esto modifica el sabor del platillo y da muy buenos resultados si rallas además un trozo pequeño de 2.5cm de jengibre y lo añades en el paso 4.

Dip de berenjena tostada con tiras de pan pita

1 Precalentar el horno a 180°C/350°F. Sobre una tabla para picar cortar el pan pita en tiras. Acomodar el pan en una sola capa sobre una charola para horno.

2 Hornear durante 15 minutos, hasta que estén dorados y crujientes. Dejar enfriar sobre una rejilla.

3 Recortar las berenjenas, enjuagar ligeramente y reservar. Calentar una sartén acanalada hasta que casi humee. Asar las berenjenas y el ajo durante 15 minutos aproximadamente.

4 Voltear frecuentemente las berenjenas, hasta que estén suaves y la piel esté arrugada y chamuscada. Retirar del fuego. Dejar enfriar.

5 Cuando las berenjenas estén frías y puedan manipularse cortar a la mitad y sacar la pulpa cocida con una cuchara, colocar en un procesador de alimentos.

6 Quitar la piel del ajo y añadir a la berenjena.

7 Licuar la berenjena junto con el ajo hasta que estén suaves; agregar el aceite de ajonjolí, el jugo de limón y el comino, licuar de nuevo.

8 Sazonar al gusto con sal y pimienta, incorporar el perejil y servir con los palitos de pan pita y las hojas frescas para ensalada.

Ingredientes PORCIONES 4

4 panes pita o pan árabe
2 berenjenas grandes
1 diente de ajo, pelado
¼ cucharadita de aceite de ajonjolí
1 cucharada de jugo de limón amarillo
½ cucharadita de comino, molido
Sal y pimienta negra, recién molida
Hojas frescas de ensalada, para servir

3

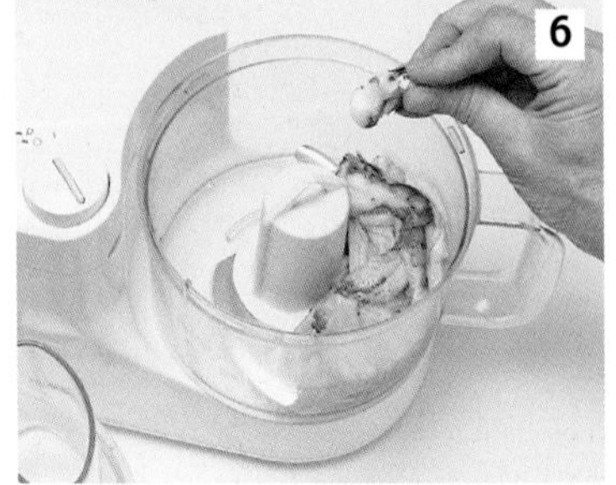
6

7

Calamares con ajo y limón

1 Enjuagar el arroz hasta que el agua salga transparente, colocar en una sartén junto con el caldo.

2 Dejar que suelte el hervor y reducir el fuego. Tapar y cocinar a fuego lento durante 10 minutos.

3 Apagar el fuego y dejar la cacerola tapada para que el arroz se cueza al vapor mientras se preparan los calamares.

4 Retirar los tentáculos del calamar y reservar.

5 Cortar la cavidad del cuerpo por la mitad. Con la punta de un cuchillo filoso pequeño hacer cortes poco profundos en la parte interior del cuerpo en un patrón de diamante. No cortar hasta el otro lado.

6 Mezclar la ralladura de limón, el ajo machacado y el chalote picado.

7 En un tazón colocar el calamar, esparcir encima la mezcla de limón y revolver.

8 Calentar una sartén acanalada hasta que casi humee. Asar el calamar de 3 a 4 minutos hasta que esté bien cocido, rebanar.

9 Esparcir encima el cilantro y el jugo de limón. Sazonar al gusto con sal y pimienta. Colar el arroz y servir de inmediato junto con el calamar.

Ingredientes PORCIONES 4

125g/4 oz de arroz de grano largo
300ml de caldo de pescado
225g/8 oz de calamares, limpios
Ralladura fina de 1 limón amarillo
1 chalote, pelado, finamente picado
2 cucharadas de cilantro, recién picado
2 cucharadas de jugo de limón amarillo
Sal y pimienta negra, recién molida

Nuestra sugerencia

Para preparar los calamares separar los tentáculos del cuerpo y cortar la cabeza justo por debajo de los ojos. Desechar la cabeza. Quitar la espina y los órganos interiores del calamar y desechar. Retirar la piel oscura de la parte exterior y desechar. Enjuagar bien los tentáculos y la bolsa del calamar.

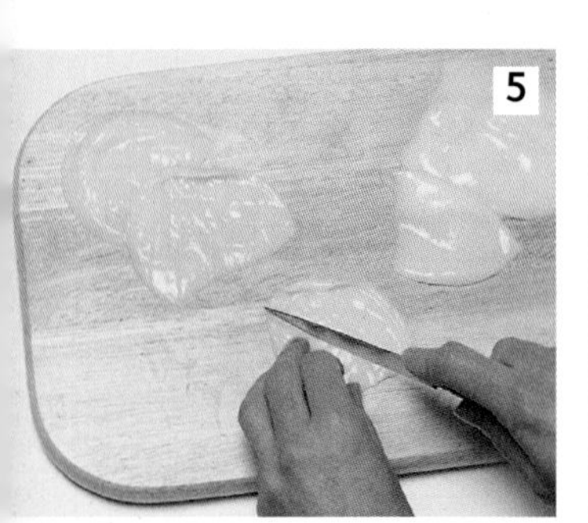

5

7

8

Salmón cremoso con eneldo en canastas de pasta filo

1. Precalentar el horno a 200°C/400°F. En una sartén colocar la hoja de laurel, los granos de pimienta, el perejil y el salmón, verter agua suficiente para apenas cubrir el pescado.

2. Dejar que suelte el hervor, reducir el fuego y pochar el pescado durante 5 minutos, hasta que se desmenuce fácilmente. Retirar de la sartén. Reservar.

3. Barnizar ligeramente con el aceite cada lámina de pasta filo. Arrugar las láminas de pasta para darle forma de nido de aproximadamente 12.5cm de diámetro.

4. Colocar los nidos sobre una charola para horno ligeramente engrasada y hornear durante 10 minutos hasta que estén dorados y crujientes.

5. En una sartén con agua hirviendo con un poco de sal blanquear las espinacas durante 2 minutos. Colar bien y mantener calientes.

6. Mezclar el fromage frais, la mostaza y el eneldo, calentar ligeramente. Sazonar al gusto con sal y pimienta. Repartir las espinacas entre los nidos de pasta filo y desmenuzar el salmón sobre las espinacas.

7. Colocar la salsa de mostaza y eneldo sobre las canastas de pasta filo y servir de inmediato.

Ingredientes PORCIONES 4

1 hoja de laurel
6 granos de pimienta negra
1 ramita grande de perejil, fresco
175g/6 oz de filetes de salmón
4 láminas grandes de pasta filo
2 cucharaditas de aceite de girasol
125g/4 oz de hojas de espinacas baby
8 cucharadas de fromage frais (queso tipo requesón)
2 cucharaditas de mostaza de Dijon
2 cucharadas de eneldo, recién picado
Sal y pimienta negra, recién molida

Dato culinario

Este platillo es muy nutritivo, pues combina el salmón rico en calcio con las espinacas ricas en vitaminas y minerales. Puedes sustituir el fromage frais de esta receta por yogur natural casero si quieres ayudar a la digestión y estimular al sistema inmunológico.

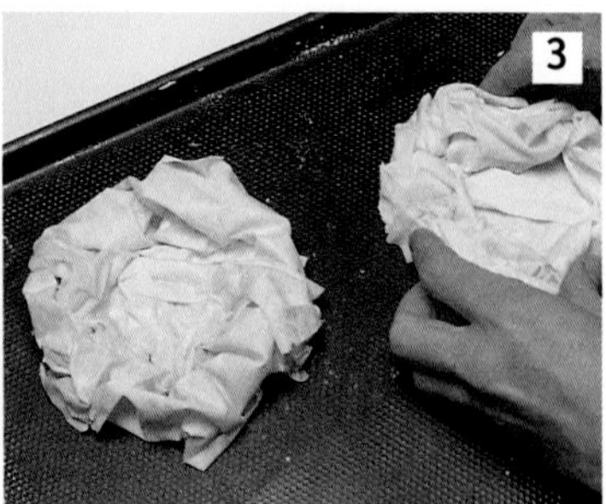

Sushi de salmón ahumado

1 Enjuagar bien el arroz en agua fría hasta que el agua salga transparente; colocar el arroz en una sartén con 300ml de agua. Dejar que suelte el hervor y tapar con una tapa ajustada. Reducir a fuego lento y cocer ligeramente durante 10 minutos. Apagar el fuego sin destapar la sartén, dejando que el arroz se cueza al vapor durante 10 minutos más.

2 En una cacerola pequeña calentar ligeramente el vinagre de arroz, el azúcar y la sal hasta que el azúcar se disuelva. Cuando el arroz termine de cocerse, verter encima la mezcla del vinagre y revolver bien para mezclar. Esparcir el arroz sobre una superficie plana y grande —una tabla para picar o un platón grande—. Abanicar el arroz para que se enfríe y quede brillante.

3 Sobre un tapete para sushi colocar una lámina de alga (o usar un trozo de tela rígida un poco más grande que la lámina de alga), esparcir la mitad del arroz cocido encima. Humedecer un poco las manos antes de trabajar el arroz para evitar que el arroz se pegue a las manos. Sobre el extremo inferior de la lámina colocar la mitad del salmón y de las tiras de pepino.

4 Enrollar el arroz sobre el salmón ahumado para darle forma de cilindro ajustado. Mojar un cuchillo filoso y cortar el sushi en rebanadas de 2cm de grosor. Repetir con el resto de las láminas de alga, del arroz, del salmón ahumado y del pepino. Servir con el wasabi, la salsa de soya y el jengibre.

Ingredientes PORCIONES 4

175g/6 oz de arroz para sushi
2 cucharadas de vinagre de arroz
4 cucharadas de azúcar extrafina
½ cucharadita de sal
2 láminas de alga para sushi (nori)
60g/2 ½ oz de salmón ahumado
¼ de pepino, cortado en tiras finas

Para servir:
Wasabi (condimento muy picoso)
Salsa de soya
Jengibre en conserva

Consejo
Si no encuentras wasabi puedes usar un poco de rábano picante. Si no encuentras láminas de alga para sushi, forma óvalos con el arroz y coloca un trozo de salmón ahumado sobre cada óvalo y decora con cebollín.

2

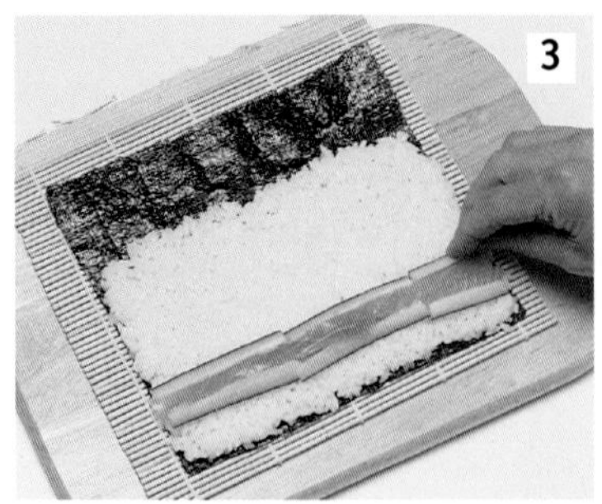
3

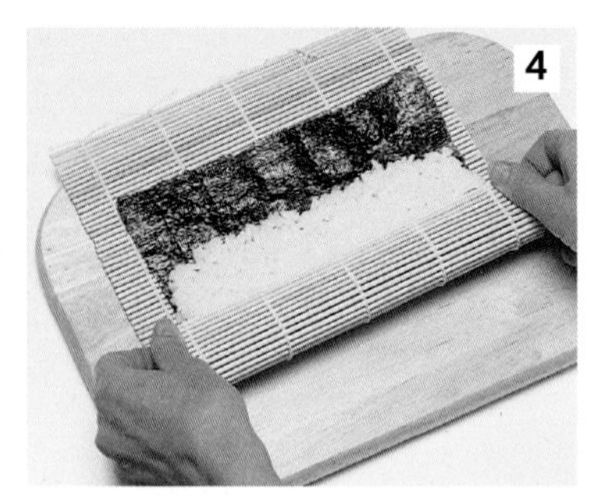
4

Langostinos con miel y jengibre

1. Cortar la zanahoria en juliana, picar grueso los brotes de bambú y rebanar finamente las cebollas de cambray.

2. Mezclar los brotes de bambú junto con la zanahoria en juliana y las cebollas de cambray.

3. En un wok o en una sartén grande calentar ligeramente la miel, la salsa cátsup, la salsa de soya, el jengibre, el ajo y el jugo de limón junto con 3 cucharadas de agua. Dejar que suelte el hervor.

4. Agregar la mezcla de la zanahoria y freír revolviendo de 2 a 3 minutos hasta que las verduras estén calientes.

5. Añadir los langostinos y freír revolviendo durante 2 minutos más.

6. Retirar el wok o la sartén del fuego y reservar hasta que se enfríen ligeramente.

7. Separar las hojas de la lechuga y enjuagar ligeramente.

8. Incorporar el cilantro picado a la mezcla de los langostinos y sazonar al gusto con sal y pimienta. Colocar sobre las hojas de lechuga y servir de inmediato decorado con las ramitas de cilantro fresco y las rebanadas de limón verde.

Ingredientes PORCIONES 4

1 zanahoria
50g/2 oz de brotes de bambú
4 cebollas de cambray
1 cucharada de miel clara
1 cucharada de salsa cátsup
1 cucharada de salsa de soya
Raíz de jengibre fresco de 2.5cm, pelada, finamente rallada
1 diente de ajo, pelado, machacado
1 cucharada de jugo de limón verde
175g/6 oz de langostinos, pelados, descongelados
2 hojas de corazones de lechuga
2 cucharadas de cilantro, recién picado
Sal y pimienta negra, recién molida

Para decorar:

Ramitas de cilantro fresco
Rebanadas de limón verde

Tuna chowder

1 En una cacerola grande de base gruesa calentar el aceite. Agregar la cebolla y el apio, freír ligeramente durante 5 minutos, revolviendo de vez en cuando hasta que la cebolla esté suave.

2 Incorporar la harina y cocer durante 1 minuto para que espese.

3 Retirar la cacerola del fuego, verter poco a poco la leche, revolviendo constantemente.

4 Agregar el atún con el líquido, los granos de elote colados y el tomillo.

5 Mezclar un poco, dejar que suelte el hervor. Tapar y cocinar a fuego lento durante 5 minutos.

6 Retirar la cacerola del fuego, sazonar al gusto con sal y pimienta.

7 Espolvorear la crema con la pimienta de Cayena y el perejil picado. Repartir en tazones y servir de inmediato.

Ingredientes PORCIONES 4

2 cucharaditas de aceite
1 cebolla, finamente picada
2 tallos de apio, finamente rebanados
1 cucharada de harina
600ml de leche descremada
200g de atún en lata, en agua
320g de granos de elote dulce, en lata, en agua, colados
2 cucharaditas de tomillo, recién picado
Sal y pimienta negra, recién molida
Pizca de pimienta de Cayena
2 cucharadas de perejil, recién picado

Consejo

Para añadir más color a esta sopa reemplaza la lata de granos de elote dulce por una lata de granos de elote con pimiento. Si te encanta el pescado y los mariscos añade 125g/4 oz de langostinos pelados para darle más sabor.

3

3

5

Pollo molido estilo oriental con rúcula y jitomate

1 Picar finamente los chalotes y el ajo. Cortar la zanahoria en juliana, rebanar finamente las castañas de agua y reservar. En un wok o en una sartén de base gruesa calentar el aceite y añadir el pollo. Freír revolviendo de 3 a 4 minutos a fuego moderadamente alto, desmenuzando los trozos grandes del pollo.

2 Agregar el ajo y los chalotes y freír de 2 a 3 minutos hasta que estén suaves. Espolvorear encima el polvo de cinco especias chinas y el chile en polvo, dejar cocinar durante 1 minuto más.

3 Añadir la zanahoria, las castañas de agua, la salsa de soya y la de pescado con 2 cucharadas de agua. Freír revolviendo durante 2 minutos. Retirar del fuego y reservar para enfriar un poco.

4 Quitar las semillas de los jitomates y cortar en gajos. Revolver con la rúcula y repartir en 4 platos individuales. Colocar la mezcla caliente del pollo sobre la rúcula y los gajos de jitomate y servir de inmediato para evitar que la rúcula se marchite.

Ingredientes PORCIONES 4

2 chalotes, pelados (parecidos al ajo, pero con dientes más grandes)
1 diente de ajo, pelado
1 zanahoria, pelada
50g/2 oz de castañas de agua
1 cucharadita de aceite
350g/12 oz de carne de pollo, molida, fresca
1 cucharadita de polvo de cinco especias chinas
Pizca de chile en polvo
1 cucharadita de salsa de soya
1 cucharada de salsa de pescado
8 jitomates cherry
50g/2 oz de rúcula

Consejo

Este platillo es muy versátil. En lugar del pollo puedes usar cualquier tipo de carne magra o incluso langostinos. Para usar esta receta como plato fuerte reemplaza la rúcula y los jitomates por verduras salteadas y arroz.

Tortitas de papa

1 Para hacer la salsa mezclar la crème fraîche, la salsa de rábano, la ralladura y el jugo de limón y el cebollín. Cubrir y reservar.

2 En una cacerola grande poner a cocer las papas en agua hirviendo con un poco de sal. Una vez que suelte el hervor, tapar y dejar a fuego lento durante 15 minutos o hasta que las papas estén bien cocidas. Colar y machacar hasta que estén suaves. Dejar enfriar durante 5 minutos, incorporar la clara de huevo batido, la leche, la harina, el tomillo y la sal, mezclar hasta formar una masa espesa y suave. Dejar reposar durante 30 minutos, revolver antes de usar.

3 En una sartén de base gruesa calentar un poco de aceite. Añadir de 2 a 3 cucharadas de la masa para formar una tortita pequeña y freír de 1 a 2 minutos hasta que estén doradas. Voltear y freír durante 1 minuto más o hasta que estén doradas. Repetir con el resto de la masa hasta hacer 8 tortitas

4 Acomodar las tortitas en un platón y colocar encima la caballa ahumada. Decorar con las hierbas y servir de inmediato con cucharadas de la salsa de rábano reservada.

Ingredientes PORCIONES 6

Para la salsa:

4 cucharadas de crème fraîche o crema fresca
1 cucharada de salsa de rábano picante
Ralladura y jugo de 1 limón verde
1 cucharada de cebollín, recién cortado
225g/8 oz de papas peladas, cortadas en trozos
Clara de 1 huevo pequeño
2 cucharadas de leche
2 cucharaditas de harina con 1 pizca de polvo para hornear
1 cucharada de tomillo, recién picado
1 pizca grande de sal
Aceite vegetal, para freír
225g/8 oz de filetes de caballa ahumada, sin piel, picados grueso
Hierbas frescas, para decorar

Nuestra sugerencia

Mantén calientes las tortitas conforme las preparas, apílalas en un plato caliente. Coloca papel encerado entre cada una para separarlas y cúbrelas holgadamente con un paño limpio de cocina.

Camote crujiente con salsa de mango

1 Para hacer la salsa, mezclar el mango con los jitomates, el pepino y la cebolla. Añadir el azúcar, el chile, el vinagre, el aceite y la ralladura y el jugo de limón. Mezclar bien, cubrir y dejar reposar de 40 a 45 minutos por lo menos.

2 Remojar los camotes en agua fría durante 40 minutos para eliminar el exceso de almidón. Colar y secar bien con un paño de cocina o papel absorbente.

3 Calentar el aceite a 190ºC/375ºF en una freidora. Cuando tenga la temperatura adecuada colocar la mitad de los camotes en la canasta, sumergir con cuidado en el aceite caliente y freír de 4 a 5 minutos o hasta que estén dorados, agitando la canasta a cada minuto para que no se peguen.

4 Escurrir los camotes fritos sobre papel absorbente, espolvorear encima la sal de mar y colocar bajo el grill precalentado a intensidad media durante unos segundos para que se sequen. Repetir con el resto de los camotes. Incorporar la menta a la salsa y servir con los camotes fritos.

Ingredientes PORCIONES 6

Para la salsa:

1 mango grande, pelado, sin hueso, cortado en cubos pequeños
8 jitomates cherry, cortados en cuartos
½ pepino, pelado, cortado en trozos pequeños
1 cebolla morada, pelada, finamente picada
1 pizca de azúcar
1 chile rojo, sin semillas, finamente picado
2 cucharadas de vinagre de arroz
2 cucharadas de aceite de oliva
Ralladura y jugo de 1 limón verde
450g/1 lb de camotes, pelados, finamente rebanados
Aceite vegetal, para freír
Sal de mar
2 cucharadas de menta, recién picada

1

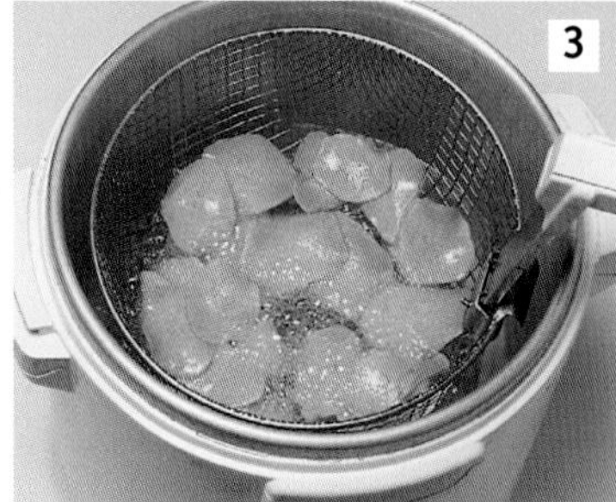
3

4

Hojas de parra rellenas

1 Remojar el arroz en agua fría durante 30 minutos. Si las hojas de parra son frescas blanquear en tandas de 5 a 6 hojas en agua hirviendo con sal durante 1 minuto. Enjuagar y colar. Si las hojas de parra están en conserva remojar en agua tibia durante 20 minutos por lo menos, colar, enjuagar y secar con papel absorbente,

2 Mezclar la cebolla y los puerros junto con las hierbas y la mitad del aceite. Añadir el arroz colado, mezclar y sazonar al gusto con sal y pimienta. Incorporar la grosella, los chabacanos, los piñones y el jugo de limón. Colocar una cucharadita del relleno sobre el extremo del tallo de cada hoja de parra. Enrollar doblando las orillas hacia dentro para formar paquetes cerrados, no enrollar demasiado ajustado. Continuar hasta utilizar todo el relleno.

3 Acomodar la mitad del resto de las hojas de parra sobre la base de una sartén grande. Colocar los paquetitos pequeños en la sartén y cubrir con el resto de las hojas.

4 Verter caldo suficiente para apenas cubrir las hojas, añadir una pizca de sal y dejar que suelte el hervor. Reducir el fuego, tapar y cocinar a fuego lento de 45 a 55 minutos, o hasta que el arroz esté pegajoso y suave. Dejar reposar durante 10 minutos. Colar el caldo. Decorar con los gajos de limón y servir calientes con el yogur griego.

Ingredientes PORCIONES 6-8

150g/5 oz de arroz de grano largo
225g/8 oz de hojas de parra, frescas o en conserva
225g/8 oz de cebolla morada, finamente picada
3 puerros baby, finamente rebanados
25g/1 oz de perejil, recién picado
25g/1 oz de menta, recién picada
25g/1 oz de eneldo, recién picado
150ml de aceite de oliva extra virgen
Sal y pimienta negra, recién molida
50g/2 oz de grosella
50g/2 oz de chabacanos, deshidratados, finamente picados
25g/1 oz de piñones
Jugo de 1 limón amarillo
600–700ml de caldo hirviendo
Gajos o rodajas de limón, para decorar
4 cucharadas de yogur griego, para servir

Cáscaras de papa

1 Precalentar el horno a 200ºC/400ºF. Frotar las papas, perforarlas varias veces con un tenedor o una brocheta y colocarlas directamente en la parte superior del horno. Hornear durante 1 hora por lo menos o hasta que estén suaves. Las papas están cocidas cuando ceden ligeramente ante la presión de la mano.

2 Reservar las papas para que se enfríen un poco y puedan manipularse, cortar a la mitad y sacar la pulpa con una cuchara, colocarla en un tazón y reservar. Precalentar el grill y forrar la parrilla con papel aluminio.

3 Mezclar el aceite y la paprika, usar la mitad para barnizar el exterior de las cáscaras de papa. Colocar sobre la rejilla y debajo del grill precalentado, cocer durante 5 minutos o hasta que estén crujientes, voltear conforme sea necesario.

4 Calentar el resto del aceite con la paprika y freír ligeramente el tocino hasta que esté crujiente. Agregar a la pulpa de la papa junto con la crema, el queso gorgonzola y el perejil. Cortar las cáscaras de papa en mitades y rellenar con la mezcla del queso gorgonzola. Devolver al horno durante 15 minutos más para calentar bien. Espolvorear encima un poco más de paprika y servir de inmediato con mayonesa, salsa de chile dulce y ensalada verde.

Ingredientes PORCIONES 4

4 papas grandes para hornear
2 cucharadas de aceite de oliva
2 cucharaditas de paprika o pimentón
125g/4 oz de tocino, picado grueso
6 cucharadas de crema agria
125g/4 oz de queso gorgonzola
1 cucharada de perejil, recién picado

Para servir:

Mayonesa, baja en calorías
Salsa de chile dulce, para remojar
Ensalada verde

Dato culinario

El queso gorgonzola es un queso italiano muy popular que se fabricó por primera vez hace más de 1100 años en un pueblo del mismo nombre, cerca de Milán. Hoy en día, casi toda la producción de queso gorgonzola se hace en Lombardía; se hace de leche pasteurizada de vaca y se deja madurar durante 3 meses por lo menos, lo cual le da un buen sabor, sin que sea dominante. A diferencia de la mayoría de los quesos azules, debe tener una mayor concentración de vetas hacia el centro del queso.

Papas con jengibre y ajo

1 Frotar las papas, colocarlas sin pelar en una cacerola grande y cubrir con agua hirviendo con sal. Dejar que suelte el hervor y cocer durante 15 minutos, colar y dejar que se sequen por completo. Pelar y cortar en cubos de 2.5cm.

2 En un procesador de alimentos colocar la raíz de jengibre, el ajo, la cúrcuma, la sal y la pimienta de Cayena, licuar durante 1 minuto. Sin dejar de licuar, añadir lentamente 3 cucharadas de agua hasta formar una pasta, o machacar los ingredientes en un mortero.

3 Calentar el aceite en una sartén grande de base gruesa y cuando esté caliente, sin que llegue a humear, añadir las semillas de hinojo y freír durante unos minutos. Incorporar la pasta de jengibre y freír durante 2 minutos, revolviendo con frecuencia. No quemar la mezcla.

4 Reducir el fuego, añadir las papas y freír de 5 a 7 minutos, revolviendo frecuentemente, hasta que las papas tengan una costra dorada. Agregar la manzana en cubos y las cebollas de cambray, espolvorear encima el cilantro recién picado. Cocinar bien durante 2 minutos y servir con hojas de ensalada y mayonesa con sabor a curry.

Ingredientes

PORCIONES 4

700g/1 ½ lb de papas
Raíz de jengibre fresco de 2.5cm, pelada, picada grueso
3 dientes de ajo, pelados, picados
½ cucharadita de cúrcuma (condimento parecido al azafrán y al jengibre)
1 cucharadita de sal
½ cucharadita de pimienta de Cayena
5 cucharadas de aceite vegetal
1 cucharadita de semillas de hinojo enteras
1 manzana grande, sin centro, en cubos
6 cebollas de cambray, rebanadas en diagonal
1 cucharada de cilantro, recién picado

Para servir:
Hojas mixtas para ensalada

Dato culinario

La cúrcuma es un rizoma que pertenece a la misma familia que el jengibre. Cuando la raíz se seca su apariencia es de color amarillo apagado y se muele para formar un polvo. Tiene un sabor picante y da un hermoso color dorado a la comida.

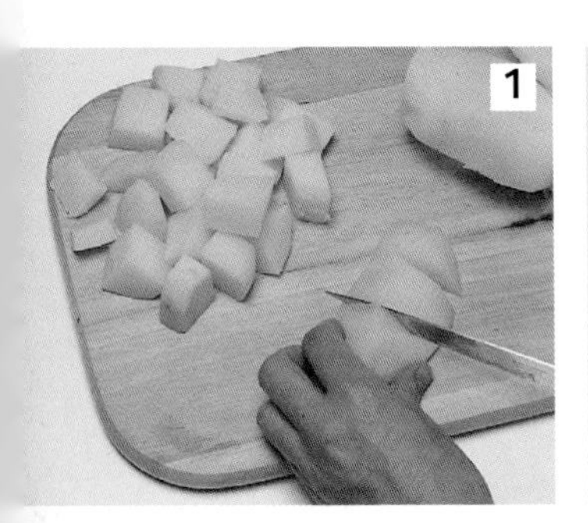
1

2

4

Pastelitos de cangrejo tai

1 En una cacerola grande colocar el arroz y verter el caldo. Dejar que suelte el hervor, tapar y cocinar a fuego lento sin revolver durante 18 minutos, o hasta que el arroz esté suave y todo el líquido se haya absorbido.

2 Para hacer los pastelitos, en un procesador de alimentos colocar la carne de cangrejo, el bacalao, las cebollas de cambray, el limoncillo, el chile, el jengibre, el cilantro, la harina y el huevo. Licuar hasta que todos los ingredientes estén bien mezclados, sazonar al gusto con sal y pimienta. Agregar el arroz al procesador y licuar de nuevo, no licuar en exceso.

3 Retirar la mezcla del procesador y colocar en una superficie de trabajo limpia. Con las manos húmedas dividir la mezcla en 12 tortitas del mismo tamaño. Acomodar en un platón, cubrir y refrigerar durante 30 minutos aproximadamente.

4 En una sartén de base gruesa calentar el aceite y freír los pastelitos de cangrejo, en tandas de cuatro, de 3 a 5 minutos por lado hasta que estén crujientes y dorados. Escurrir sobre papel absorbente y servir de inmediato con la salsa de chile como dip.

Ingredientes PORCIONES 4

200g/7 oz de arroz basmati o de grano largo, precocido
450ml de caldo de pollo, caliente
200g/7 oz de carne de cangrejo, cocida
125g/4 oz de filete de bacalao, sin piel, molido
5 cebollas de cambray, finamente picadas
1 tallo de limoncillo, sin las hojas exteriores, finamente picado
1 chile verde, sin semillas, finamente picado
1 cucharada de raíz de jengibre, recién rallada
1 cucharada de cilantro, recién picado
1 cucharada de harina
1 huevo mediano
Sal y pimienta negra, recién molida
2 cucharadas de aceite vegetal, para freír

Para servir:
Salsa de chile dulce, como dip
Hojas frescas para ensalada

2

3

4

Ensalada de arroz con papaya

1 Enjuagar y colar el arroz y colocar en una cacerola. Verter 450ml de agua hirviendo con sal y la ramita de canela. Dejar que suelte el hervor, reducir a fuego muy lento, tapar y cocer sin revolver de 15 a 18 minutos o hasta que todo el líquido se haya absorbido. El arroz debe quedar ligero y esponjoso y tener orificios por el vapor en la superficie. Retirar la ramita de canela e incorporar la ralladura de 1 limón verde.

2 Para hacer el aderezo, en un procesador de alimentos colocar el chile ojo de pájaro, la ralladura y el jugo del limón amarillo, la salsa de pescado y el azúcar, licuar durante unos minutos hasta mezclar. De manera alternativa, colocar los ingredientes anteriores en una jarra con tapa de rosca y agitar para mezclar bien. Verter la mitad del aderezo sobre el arroz caliente y revolver hasta que esté brillante.

3 Cortar la papaya y el mango en rebanadas finas, pasarlos a un tazón. Añadir el chile verde picado, el cilantro y la menta. Colocar el pollo sobre una tabla para picar, retirar y desechar la piel y los cartílagos. Cortarlo en tiras finas y agregar al tazón junto con los cacahuates picados.

4 Bañar la mezcla del pollo con el resto del aderezo y revolver hasta que todos los ingredientes estén ligeramente cubiertos. Servir el arroz en un platón, colocar encima la mezcla del pollo y servir con las tiras calientes de pan pita.

Ingredientes PORCIONES 4

175g/6 oz de arroz basmati o de grano largo, precocido
1 ramita de canela
1 chile ojo de pájaro, sin semillas, finamente picado
Ralladura y jugo de 2 limones verdes
Ralladura y jugo de 2 limones amarillos
2 cucharadas de salsa de pescado tai
1 cucharada de azúcar morena
1 papaya, pelada, sin semillas
1 mango, pelado, sin hueso
1 chile verde, sin semillas, finamente picado
2 cucharadas de cilantro, recién picado
1 cucharada de menta, recién picada
250g/9 oz de pollo, cocido
50g/2 oz de cacahuates, tostados, picados
Tiras de pan pita, para servir

Nuestra sugerencia

La cáscara de la papaya cambia de un color verde a amarillo y naranja cuando está madura. Para prepararla córtala a la mitad a lo largo, con una cuchara quita las semillas y deséchalas. Quita la cáscara antes de rebanar la pulpa.

2

3

3

Cerdo moo shu

1 Cortar la carne de cerdo, siguiendo la veta de la carne, en rebanadas de 1cm. Colocar en un tazón el vino de arroz chino o jerez, la salsa de soya y la maicena. Mezclar bien y reservar. Recortar los extremos duros de los capullos de lirio, cortar por la mitad y reservar.

2 Calentar un wok o un sartén grande, añadir 1 cucharada del aceite de cacahuate y cuando esté caliente, agregar los huevos ligeramente batidos y freír durante 1 minuto, sin dejar de revolver. Retirar los huevos revueltos del wok y reservar. Limpiar el wok con papel absorbente.

3 Devolver el wok al fuego y verter el resto del aceite, cuando esté caliente sacar las tiras de cerdo de la mezcla de la marinada, escurrir bien y ponerlas en el wok. Freír revolviendo durante 30 segundos, agregar el jengibre, las cebollas de cambray y los brotes de bambú, verter la marinada. Freír revolviendo de 2 a 3 minutos o hasta que esté cocido.

4 Devolver los huevos revueltos al wok, sazonar al gusto con sal y pimienta y revolver durante unos segundos para mezclar y calentar bien. Repartir la mezcla entre las crepas, bañar cada una con 1 cucharadita de la salsa hoisin y enrollar. Decorar y servir de inmediato.

Ingredientes — PORCIONES 4

175g/6 oz de filete de cerdo
2 cucharaditas de vino de arroz chino o de jerez seco
2 cucharadas de salsa de soya clara
1 cucharadita de maicena
25g/1 oz de capullo de lirio de día, deshidratados, remojados, colados
2 cucharadas de aceite de cacahuate
3 huevos medianos, ligeramente batidos
1 cucharadita de raíz de jengibre, recién rallada
3 cebollas de cambray, recortadas, finamente rebanadas
150g/5 oz de brotes de bambú, cortados en tiras finas
Sal y pimienta negra, recién molida
8 crepas chinas, al vapor
Salsa hoisin
Ramitas de cilantro fresco, para decorar

Nuestra sugerencia

Los capullos de lirio de día son flores secas de lirio, cerradas. Es necesario remojarlas en agua durante 30 minutos antes de usarlas, se enjuagan y se retira el exceso de agua. Si no los encuentras sustitúyelos por más carne de cerdo, hasta 225g/8 oz.

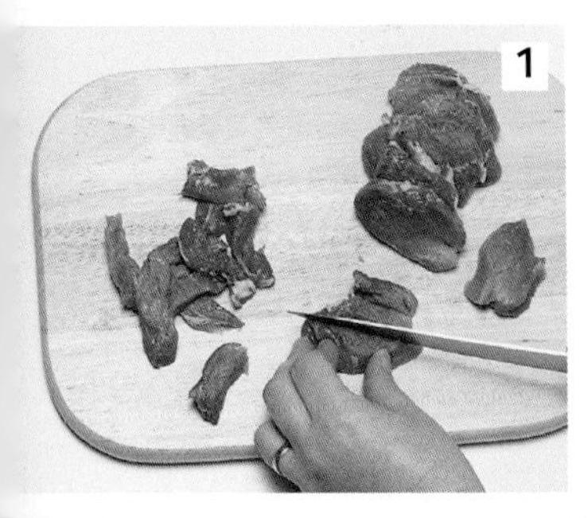
1

2

3

Wontones de cerdo crujiente

1 En un procesador de alimentos colocar la cebolla, el ajo, el chile y el jengibre, procesar hasta que esté finamente picado. Agregar la carne, el cilantro y el polvo de cinco especias. Sazonar al gusto con sal y pimienta, procesar brevemente para mezclar. Dividir la mezcla en 20 porciones iguales. Con las manos enharinadas tomar cada porción y formar una pelota del tamaño de una nuez.

2 Barnizar con el huevo batido las orillas de las envolturas para wonton, colocar una pelota de cerdo en el centro, unir las esquinas en el centro y presionar para sellar. Repetir con el resto de la carne y de las envolturas de wonton.

3 Llenar un tercio de una cacerola de base gruesa o en una freidora con el aceite y calentar a 180ºC/350ºF. Freír los wontones en 3 o 4 tandas, de 3 a 4 minutos cada una o hasta que estén bien cocidos, dorados y crujientes. Escurrir sobre papel absorbente. Servir los wontones de cerdo crujiente de inmediato, 5 por persona, y acompañar con la salsa de chile como dip.

Ingredientes PORCIONES 4

1 cebolla pequeña, picada grueso
2 dientes de ajo, pelados, machacados
1 chile verde, sin semillas, picado
Raíz de jengibre fresco de 2.5cm, pelada, picada grueso
450g/1 lb de carne de cerdo, molida
4 cucharadas de cilantro, recién picado
1 cucharadita de polvo de cinco especias chinas
Sal y pimienta negra recién molida
20 envolturas para wonton
1 huevo mediano, ligeramente batido
Abundante aceite, para freír
Salsa de chile, para servir

Nuestra sugerencia

Al freír los wontones usa una cacerola profunda de base gruesa o una freidora profunda y plana con canastilla de alambre. No llenes la cacerola con más de un tercio de aceite. Calienta sobre fuego moderado hasta que alcance la temperatura deseada. Coloca un cubito de pan del día anterior en el aceite caliente, debe tardar 45 segundos en dorarse y eso significa que el aceite está suficientemente caliente.

1

2

3

Palitos satay mixtos

1. Justo antes de que sea necesario precalentar el grill a intensidad alta. Remojar 8 brochetas de bambú en agua fría durante 30 minutos por lo menos. Pelar los langostinos y dejar las colas intactas; con un cuchillo filoso retirar la vena de la parte posterior. Cortar la carne de res en tiras de 1cm de ancho. En tazones separados colocar los langostinos y la carne, rociar cada tazón con ½ cucharada del jugo de limón.

2. Mezclar el ajo, la pizca de sal, el azúcar, el comino, el cilantro, la cúrcuma y el aceite de cacahuate para formar una pasta. Barnizar ligeramente los langostinos y la carne con la pasta. Cubrir y refrigerar durante 30 minutos mínimo para marinar, dejarlos más tiempo si es posible.

3. Mientras, hacer la salsa. En una cacerola pequeña verter 125ml/4 fl oz de agua, añadir los chalotes y el azúcar, calentar ligeramente hasta que el azúcar se haya disuelto. Agregar el coco, el chile en polvo y la salsa de soya. Cuando se haya derretido retirar la mezcla del fuego e incorporar la crema de cacahuate. Dejar enfriar un poco antes de transferir a un platón para servir.

4. Encajar 3 langostinos en cada brocheta y repartir la carne de res en el resto de las brochetas. Cocer las brochetas bajo el grill precalentado de 4 a 5 minutos, volteando ocasionalmente. Los langostinos deben quedar opacos y de color rosa; la carne debe estar dorada en la parte exterior y de color rosa en el centro. Colocar en platos individuales para servir, decorar con unas cuantas hojas de cilantro y servir de inmediato con la salsa de cacahuate tibia.

Ingredientes PORCIONES 4

12 langostinos grandes, crudos
350g/12 oz de filetes de pulpa de res
1 cucharada de jugo de limón verde
1 diente de ajo, pelado, machacado
Pizca de sal
2 cucharaditas de azúcar morena
1 cucharadita de comino, molido
1 cucharadita de cilantro, molido
1/4 cucharadita de cúrcuma, molida
1 cucharada de aceite de cacahuate
Hojas de cilantro fresco, para decorar

Para la salsa picante de cacahuate:

1 chalote, pelado, picado muy finamente
1 cucharadita, de azúcar morena
50g/2 oz de coco en bloque, picado
Pizca de chile en polvo
1 cucharada de salsa de soya oscura
125g/4 oz de crema de cacahuate, con trozos

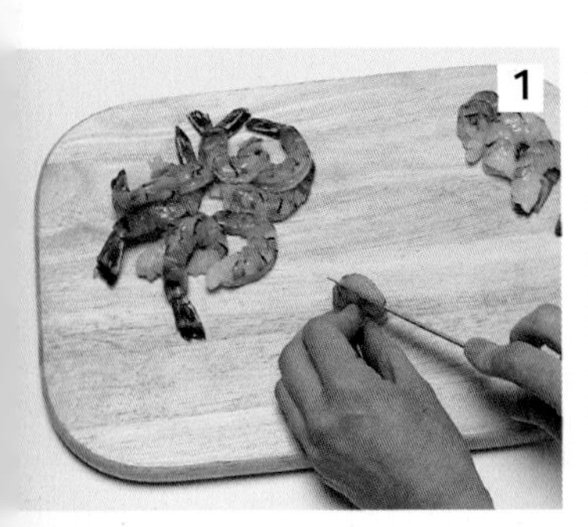

Tortitas de maíz dulce

1 En una sartén calentar 1 cucharada del aceite de cacahuate, añadir la cebolla y freír a fuego lento de 7 a 8 minutos o hasta que comience a suavizarse. Agregar el chile, el ajo y el cilantro molido, freír durante 1 minuto, revolviendo constantemente. Retirar del fuego.

2 Colar el maíz y ponerlo en un tazón para mezclar. Con un machacador aplastar ligeramente para romper los granos un poco. Agregar la mezcla de la cebolla junto con las cebollas de cambray y el huevo batido. Sazonar al gusto con sal y pimienta y revolver para mezclar. Cernir la harina y el polvo para hornear sobre la mezcla e incorporar.

3 En una sartén grande calentar 2 cucharadas del aceite de cacahuate. Colocar 4 o 5 cucharadas copeteadas de la mezcla del maíz en la sartén. Con una espatula aplanar cada cucharada para formar una tortita de 1cm de grosor.

4 Freír las tortitas durante 3 minutos o hasta que estén doradas por el lado inferior, voltear y freír durante 3 minutos más o hasta que estén bien cocidas y crujientes.

5 Retirar las tortitas de la sartén y escurrir sobre papel absorbente. Mantener calientes mientras se fríe el resto, añadir más aceite si es necesario. Decorar con los tallos de cebolla de cambray y servir de inmediato con el chutney estilo tai.

Ingredientes PORCIONES 4

4 cucharadas de aceite de cacahuate
1 cebolla pequeña, finamente picada
1 chile rojo, sin semillas, finamente picado
1 diente de ajo, pelado, machacado
1 cucharadita de cilantro, molido
325g de maíz dulce, de lata
6 cebollas de cambray, finamente rebanadas
1 huevo mediano, ligeramente batido
Sal y pimienta negra recién molida
3 cucharadas de harina común
1 cucharadita de polvo para hornear
Tallos de cebolla de cambray, para decorar
Chutney estilo tai, para servir (salsa de especias dulces y picantes)

1

2

4

Tostadas de langostinos con ajonjolí

Ingredientes

PORCIONES 4

125g/4 oz de langostinos, cocidos, pelados
1 cucharada de maicena
2 cebollas de cambray, picadas grueso
2 cucharaditas de raíz de jengibre, recién rallada
2 cucharaditas de salsa de soya oscura
Pizca de polvo de cinco especias chinas (opcional)
1 huevo pequeño, batido
Sal y pimienta negra recién molida
6 rebanadas finas de pan blanco, del día anterior
40g/1 ½ oz de semillas de ajonjolí
Abundante aceite vegetal, para freír
Salsa de chile, para servir

1 En el procesador de alimentos o en la licuadora colocar los langostinos junto con la maicena, las cebollas de cambray, el jengibre, la salsa de soya y el polvo de cinco especias. Procesar hasta formar una pasta suave. Pasar a un tazón e incorporar el huevo batido. Sazonar al gusto con sal y pimienta.

2 Remover las costras del pan. Untar uniformemente la pasta de langostinos en un lado de cada rebanada. Espolvorear encima las semillas de ajonjolí y presionar un poco.

3 Cortar cada rebanada diagonalmente para obtener 4 triángulos. Colocar sobre una charola y refrigerar durante 30 minutos.

4 En una sartén de base gruesa o en una freidora verter aceite suficiente para llenar un tercio. Calentar a 180°C/350°F. Freír el pan como tostadas, en tandas de 5 o 6, sumergir cuidadosamente en el aceite con el ajonjolí hacia abajo. Freír de 2 a 3 minutos o hasta que estén ligeramente doradas, voltear y freír durante 1 minuto más. Con una cuchara coladora sacar las tostadas y escurrir sobre papel absorbente. Mantener calientes mientras se fríe el resto. Acomodar en un platón caliente y servir de inmediato con salsa de chile para dipear.

Nuestra sugerencia

Las tostadas de pan pueden prepararse al final del paso 3 hasta con 12 horas de antelación. Cubrir y enfriar en el refrigerador hasta usarse. Es importante que el pan sea de uno o de dos días anteriores y no fresco. Asegúrate de que los langostinos estén bien colados antes de hacerlos puré —sécalos con papel absorbente.

1

2

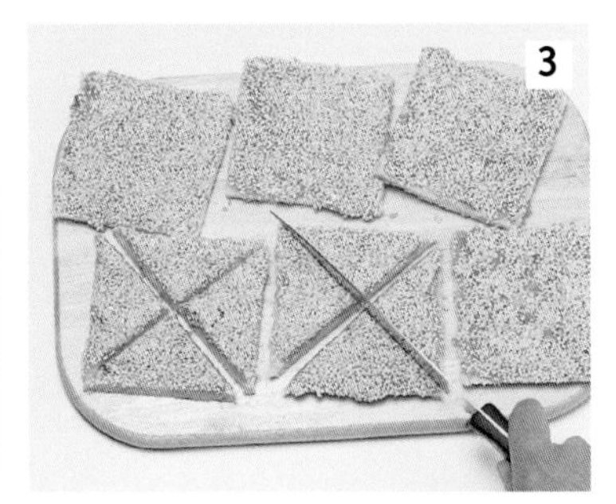
3

Pescado agridulce rebozado

1 Cortar el pescado en trozos de 5 x 2.5cm. En un tazón pequeño colocar 4 cucharadas de harina y sazonar con sal y pimienta al gusto. Revolcar el pescado, en tandas, en la harina hasta cubrir bien.

2 Cernir el resto de la harina y colocar en un tazón junto con una pizca de sal, la maicena y el arrurruz. Batir gradualmente 300ml de agua muy fría para obtener una masa tersa y delgada.

3 En un wok calentar el aceite a 190°C/375°F. Sumergir las tiras de pescado en la masa, en tandas, y freír de 3 a 5 minutos o hasta que estén crujientes. Con una cuchara coladora retirar las tiras y escurrir sobre papel absorbente.

4 Mientras, preparar la salsa. En una cacerola pequeña colocar 3 cucharadas del jugo de naranja, el vinagre, el jerez, la salsa de soya, el azúcar, el puré de tomate y el pimiento rojo. Dejar que suelte el hervor, bajar el fuego y cocinar a fuego lento durante 3 minutos.

5 Diluir la maicena en el resto del jugo de naranja e incorporar a la salsa, dejar a fuego lento, revolviendo durante 1 minuto o hasta que espese. Acomodar el pescado sobre un platón caliente para servir o en platos individuales. Bañar con un poco de la salsa y servir de inmediato con el resto de la salsa.

Ingredientes PORCIONES 4-6

450g/1 lb de filete de bacalao, sin piel
150g/5 oz de harina
Sal y pimienta negra, recién molida
2 cucharadas de maicena
2 cucharadas de arrurruz (harina extraída de plantas tropicales)
Aceite vegetal, abundante, para freír

Para la salsa agridulce:

4 cucharadas de jugo de naranja
2 cucharadas de vinagre de vino blanco
2 cucharadas de jerez seco
1 cucharada de salsa de soya oscura
1 cucharada de azúcar morena
2 cucharaditas de puré de tomate
1 pimiento rojo, sin semillas, en cubos
2 cucharaditas de maicena

Consejo

Para esta receta puedes usar cualquier variedad de pescado blanco firme, siempre y cuando esté grueso. Pregúntale al vendedor qué variedades puedes usar.

Crepas picantes de res

1 En un tazón cernir la harina, la sal, junto con el polvo de cinco especias, hacer un pozo en el centro. Agregar la yema de huevo y un poco de la leche. Batir gradualmente incorporando la harina para formar una masa suave. Incorporar el resto de la leche.

2 En una sartén pequeña de base gruesa calentar 1 cucharada del aceite de ajonjolí. Verter un poco de la mezcla para cubrir la base de la sartén. Cocer a fuego medio durante 1 minuto o hasta que la parte inferior la crepa esté dorada.

3 Hacer 7 crepas más con el resto de la mezcla. Apilarlas sobre un plato caliente alternando con papel encerado mientras se prepara el resto. Cubrir con papel aluminio y mantener calientes en el horno a temperatura baja.

4 Para hacer el relleno. En un wok o sartén grande calentar el aceite de ajonjolí y añadir las cebollas de cambray, el jengibre, el ajo y freír revolviendo durante 1 minuto. Añadir las tiras de carne, freír revolviendo de 3 a 4 minutos, agregar el chile, el vinagre, el azúcar y la salsa de soya. Cocinar durante 1 minuto, retirar del fuego.

5 Colocar un octavo del relleno sobre la mitad de cada crepa. Doblar las crepas a la mitad y doblar de nuevo. Decorar con rebanadas de cebolla de cambray y servir de inmediato.

Ingredientes PORCIONES 4

50g/2 oz de harina común
Pizca de sal
½ cucharadita de polvo de cinco especias chinas
1 yema de huevo grande
150ml de leche
4 cucharaditas de aceite de ajonjolí
Rebanadas de cebolla de cambray, para decorar

Para el relleno de res:

1 cucharada de aceite de ajonjolí
4 cebollas de cambray, rebanadas
Raíz de jengibre fresco de 1cm, pelada, rallada
1 diente de ajo, pelado, machacado
300g/11 oz de sirloin de res, cortado en tiras
1 chile rojo, sin semillas, finamente picado
1 cucharadita de vinagre de jerez
1 cucharadita de azúcar morena
1 cucharada de salsa de soya oscura

Cabeza de león

1 En un tazón verter abundante agua fría y agregar el arroz. Tapar y dejar remojar durante 2 horas. Pasar por un colador y escurrir bien.

2 En un tazón colocar la carne, el ajo, la maicena, el polvo de cinco especias, la salsa de soya, el vino de arroz o jerez y el cilantro. Sazonar al gusto con sal y pimienta y mezclar bien.

3 Con las manos ligeramente mojadas tomar porciones de la carne y formar 20 pelotas del tamaño de una nuez, revolcar las pelotas en el arroz para cubrirlas. Colocar las pelotas, un poco separadas, en una vaporera o en un colador sobre una cacerola de agua hirviendo, tapar y cocer al vapor durante 20 minutos o hasta que estén bien cocidas.

4 Mientras, hacer la salsa para acompañar. Revolver el azúcar, el vinagre y la salsa de soya hasta que el azúcar se disuelva. Agregar el chalote, el chile y el aceite de ajonjolí y batir con un tenedor. Pasar a un tazón pequeño para servir, tapar y dejar reposar durante 10 minutos por lo menos antes de servir.

5 Retirar las albóndigas de la vaporera y acomodarlas sobre un platón caliente. Servir de inmediato con la salsa como dip.

Ingredientes

PORCIONES 4

75g/3 oz de arroz glutinoso (de grano corto que se vuelve pegajoso al cocinarse)
450g/1 lb de carne de cerdo, molida
2 dientes de ajo, pelados, machacados
1 cucharadita de maicena
½ cucharadita de polvo de cinco especias chinas
2 cucharaditas de salsa de soya oscura
1 cucharada de vino de arroz chino o jerez seco
2 cucharadas de cilantro, recién picado
Sal y pimienta negra recién molida

Para la salsa:

2 cucharaditas de azúcar extrafina
1 cucharada de vinagre de jerez
1 cucharada de salsa de soya clara
1 chalote, pelado, picado muy finamente (parecido al ajo, pero con dientes más grandes)
1 chile rojo pequeño, sin semillas, finamente picado
2 cucharaditas de aceite de ajonjolí

Dato culinario

Estas albóndigas obtienen su nombre de la cubierta de arroz, la cual asemeja la melena de un león.

1

3

4

Calamares agrio-picantes

1 Cortar a lo largo el cuerpo de cada calamar para abrirlo, colocar sobre una tabla para picar con la parte interior hacia arriba. Con un cuchillo filoso hacer cortes poco profundos en patrón de diamante. Cortar cada calamar en 4 piezas. Recortar los tentáculos.

2 En un tazón colocar la salsa de soya y la hoisin junto con el jugo de limón, el jerez, la miel, el jengibre, los chiles y la maicena. Sazonar al gusto con sal y pimienta, mezclar bien. Añadir los calamares, revolver bien para cubrirlos, tapar y marinar en el refrigerador durante 1 hora.

3 Pasar los calamares por un colador sobre una cacerola pequeña para separar la marinada. Raspar el fondo de la cacerola para evitar que se quemen los restos de chile o jengibre al freír.

4 Llenar un tercio de la freidora con el aceite vegetal y calentar a 180ºC/350ºF. Freír los calamares en tandas de 2 a 3 minutos o hasta que estén dorados y crujientes. Retirar los calamares y escurrir sobre papel absorbente. Mantener calientes.

5 Dejar que la marinada suelte el hervor, dejar que burbujee ligeramente durante unos segundos. Acomodar los calamares sobre un platón caliente para servir y bañar con la marinada. Decorar con las rodajas de limón y servir de inmediato.

Ingredientes PORCIONES 4

8 calamares baby, limpios
2 cucharadas de salsa de soya oscura
2 cucharadas de salsa hoisin (salsa de soya con ajo, vinagre y chile)
1 cucharada de jugo de limón amarillo
2 cucharadas de jerez seco
1 cucharada de miel clara
Raíz de jengibre fresco de 2.5cm, pelada, finamente picada
1 chile rojo, 1 chile verde, sin semillas, finamente picados
1 cucharadita de maicena
Sal y pimienta negra recién molida
Abundante aceite vegetal, para freír
Rodajas de limón amarillo, para decorar

Nuestra sugerencia

Para preparar los calamares: enjuagarlos bien con agua fría, separar la cabeza y el cuerpo, las vísceras se separan junto con la cabeza. Retirar y desechar el pico. Enjuagar bien la bolsa del cuerpo y retirar la piel oscura. Los tentáculos son comestibles, así que sepáralos de la cabeza justo por debajo de los ojos.

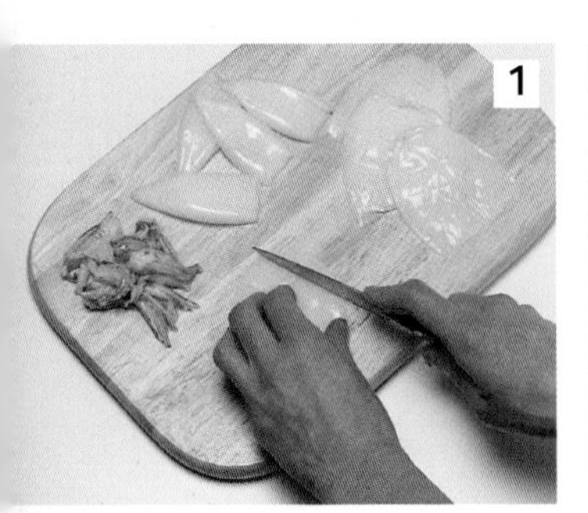
1

2

4

Huevos de codorniz aromáticos

1 En una jarra colocar las hojas de té y verter 150ml de agua hirviendo. Dejar reposar durante 5 minutos, colar, reservar el líquido y desechar las hojas.

2 Mientras, en una cacerola colocar los huevos y apenas cubrirlos con agua fría. Dejar que suelte el hervor y dejar a fuego lento durante 1 minuto. Con una cuchara coladora mover los huevos y rodarlos un poco para agrietar los cascarones.

3 Añadir la sal, 2 cucharadas de la salsa de soya, el azúcar morena, el anís estrella y la ramita de canela al agua de cocción de los huevos, verter el té. Dejar en el fuego hasta que suelte el hervor, devolver los huevos a la cacerola y cocer a fuego lento durante 1 minuto. Retirar del fuego y dejar reposar durante 2 minutos, retirar los huevos y sumergirlos en agua fría. Dejar que se enfríe la mezcla del té. Colocar los huevos en la mezcla fría del té, dejar reposar durante 30 minutos, colar y quitar el cascarón para dejar ver el aspecto de mármol.

4 Para la salsa, en una cacerola pequeña verter el resto de la salsa de soya, el vinagre y el vino de arroz chino o el jerez junto con el azúcar extrafina y el polvo de cinco especias. Diluir la maicena con 1 cucharada de agua fría e incorporar a la mezcla de la salsa de soya. Calentar hasta que hierva y espese un poco, revolver constantemente. Dejar enfriar. Acomodar los huevos en un platón o repartirlos en platos individuales y servir con la salsa como dip.

Ingredientes PORCIONES 6

2 cucharadas de hojas de té de jazmín
24 huevos de codorniz
2 cucharaditas de sal
4 cucharadas de salsa de soya oscura
1 cucharada de azúcar morena
2 anís estrella, enteros
1 ramita de canela

Para la salsa:

2 cucharadas de vinagre de jerez
2 cucharadas de vino de arroz chino o jerez seco
2 cucharadas de azúcar extrafina
1/4 cucharadita de polvo de cinco especias chinas
1/4 cucharadita de maicena

Consejo

Esta receta también puede usarse para darle más sabor y una apariencia de mármol a los huevos comunes. Con 9 huevos para 6 personas, hierve a fuego lento durante 4 minutos en el paso 2 y durante 4 minutos más en el paso 3. Déjalos remojar y pélalos como se indica y corta por la mitad en cuartos para servir.

Langostinos picantes en copas de lechuga

1. Retirar 3 o 4 de las hojas exteriores del limoncillo y reservar para otro platillo. Picar finamente el centro suave restante. En un tazón colocar 2 cucharadas de la hierba limón junto con los langostinos, la ralladura de limón, el chile y el jengibre. Mezclar bien para cubrir los langostinos. Tapar y refrigerar para marinar mientras se prepara la salsa de coco.

2. Para la salsa, en un wok o en una sartén de teflón colocar el coco rallado, freír en seco de 2 a 3 minutos o hasta que esté dorado. Retirar de la sartén y reservar. Agregar la salsa hoisin, la salsa de soya y las salsas de pescado junto con el azúcar y 4 cucharadas de agua. Cocinar a fuego lento de 2 a 3 minutos y retirar del fuego. Dejar enfriar.

3. Bañar los langostinos con la salsa, agregar el coco tostado y revolver para mezclar. Repartir los langostinos y la salsa de coco entre las hojas de lechuga y acomodar en el platón.

4. Espolvorear encima los cacahuates tostados y las cebollas de cambray, decorar con una ramita de cilantro fresco. Servir de inmediato.

Ingredientes PORCIONES 4

- 1 tallo de limoncillo (hierba de sabor y aroma parecido al limón)
- 225g/8 oz de langostinos cocidos, pelados
- 1 cucharadita de ralladura fina de limón amarillo
- 1 chile rojo tailandés, sin semillas, finamente picado
- Raíz de jengibre fresco de 2.5cm, pelada, rallada
- 2 lechugas verdes pequeñas, separadas en hojas
- 25g/1 oz de cacahuates, tostados, picados
- 2 cebollas de cambray, rebanadas diagonalmente
- Ramita de cilantro fresco, para decorar

Para la salsa de coco:

- 2 cucharadas de coco, recién rallado o coco rallado sin endulzar
- 1 cucharada de salsa hoisin (salsa de soya con ajo, vinagre y chile)
- 1 cucharada de salsa de soya clara
- 1 cucharada de salsa de pescado tai
- 1 cucharada de azúcar de palma o azúcar morena

1

2

3

Alitas de pollo a la cantonesa

1 Precalentar el horno a 220ºC/425ºF 15 minutos antes de cocinar. En una cacerola pequeña colocar la salsa hoisin, la salsa de soya, el aceite de ajonjolí, el ajo, el jengibre, el vino de arroz o el jerez, la salsa picante chilli bean, el vinagre y el azúcar junto con 6 cucharadas de agua. Dejar en el fuego hasta que suelte el hervor, revolviendo ocasionalmente; cocinar a fuego lento durante 30 segundos. Retirar el glaseado del fuego.

2 En una charola para rostizar colocar las alitas de pollo en una sola capa. Bañar con el glaseado y revolver hasta que las alitas estén bien cubiertas.

3 Cubrir holgadamente con papel aluminio, hornear durante 25 minutos. Retirar el papel, bañar las alitas con el glaseado y hornear durante 5 minutos más.

4 Reducir la temperatura del horno a 190ºC/375ºF. Voltear las alitas y espolvorear encima las nueces picadas junto con las cebollas de cambray. Hornear durante 5 minutos o hasta que las nueces estén ligeramente doradas, el glaseado esté espeso y las alitas estén suaves. Retirar del horno y dejar reposar durante 5 minutos antes de acomodarlas sobre un platón caliente. Servir de inmediato con recipientes para enjuagarse los dedos y muchas servilletas.

Ingredientes PORCIONES 4

- 3 cucharadas de salsa hoisin (salsa de soya con ajo, vinagre y chile)
- 2 cucharadas de salsa de soya oscura
- 1 cucharada de aceite de ajonjolí
- 1 diente de ajo, pelado, machacado
- Raíz de jengibre fresco de 2.5cm, pelada, rallada
- 1 cucharada de vino de arroz chino o jerez seco
- 2 cucharaditas de salsa picante chilli bean
- 2 cucharaditas de vinagre de vino tinto o blanco
- 2 cucharadas de azúcar morena refinada
- 900g/2 lb de alitas de pollo, grandes
- 50g/2 oz de nueces de la India, picadas
- 2 cebollas de cambray, finamente picadas

Nuestra sugerencia

En China y Tailandia, las alitas de pollo son consideradas un manjar y una de las partes del ave con más sabor. Si se las encargas con antelación al carnicero es probable que te las venda muy baratas, pues casi siempre las cortan y las desechan cuando cortan el pollo en piezas.

1

2

4

Rollos primavera de verduras estilo tai

1 En un tazón colocar los vermicelli con suficiente agua hirviendo para cubrirlos. Dejar remojar durante 5 minutos y colar. Cortar en porciones de 7.5cm. Remojar los hongos shiitake en agua casi hirviendo durante 15 minutos, colar, desechar los tallos y rebanar finamente.

2 Calentar un wok o una sartén grande, añadir el aceite de cacahuate y las zanahorias, freír revolviendo durante 1 minuto. Añadir los chícharos chinos y las cebollas de cambray, freír revolviendo de 2 a 3 minutos o hasta que estén suaves. Pasar las verduras a un tazón y dejar enfriar. Incorporar los vermicelli y los hongos shiitake a las verduras frías junto con los brotes de bambú, el jengibre, la salsa de soya y la yema de huevo. Sazonar al gusto con sal y pimienta y mezclar bien.

3 Con un poco de clara batida barnizar las orillas de una lámina para rollo primavera. A 2.5cm de la orilla colocar 7.5cm de relleno a lo largo de ésta. Doblar la lámina sobre el relleno y doblar hacia dentro los extremos derecho e izquierdo. Barnizar las orillas dobladas con más clara de huevo y enrollar firmemente. Colocar sobre una charola para horno engrasada, con la unión hacia abajo, y repetir con el resto de los rollos.

4 En una sartén de base gruesa o una freidora profunda calentar abundante aceite vegetal a 180ºC/350ºF. Freír los rollos en el aceite en tandas de 6, de 2 a 3 minutos o hasta que estén dorados y crujientes. Escurrir sobre papel absorbente y acomodar sobre un platón caliente. Decorar con los flecos de cebolla de cambray y servir de inmediato.

Ingredientes PORCIONES 4

50g/2 oz de vermicelli o fideo chino
4 hongos shiitake, deshidratados
1 cucharada de aceite de cacahuate
2 zanahorias medianas, peladas, cortadas en julianas finas
125g/4 oz de chícharos chinos, cortados a lo largo en tiras finas
3 cebollas de cambray, picadas
125g/4 oz de brotes de bambú, de lata, cortados en julianas finas
Raíz de jengibre de 1cm de largo, pelada, rallada
1 cucharada de salsa de soya clara
1 huevo mediano, separado
Sal y pimienta negra recién molida
20 láminas para rollo primavera, en cuadros de 12.5cm cada una
Abundante aceite vegetal, para freír
Flecos de cebolla de cambray, para decorar

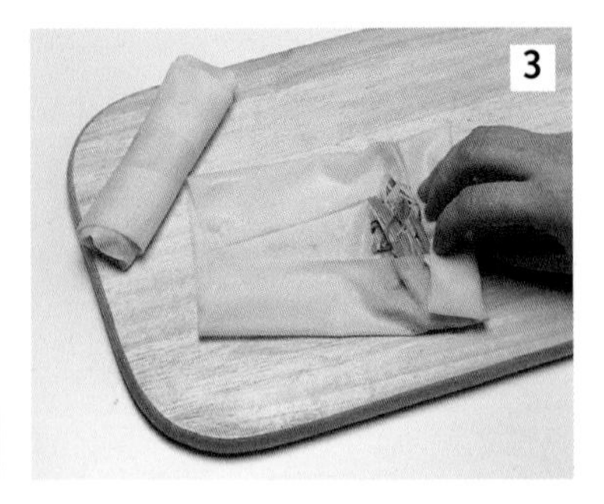

Langostinos crujientes con salsa estilo chino

1 Con un cuchillo filoso retirar la vena de la parte posterior de los langostinos. Espolvorear la sal sobre los langostinos, dejar reposar durante 15 minutos. Secar con papel absorbente.

2 Calentar un wok o sartén grande para freír, agregar el aceite de cacahuate y añadir los langostinos; freír revolviendo en dos tandas durante 1 minuto, o hasta que tomen un color rosado y estén casi cocidos. Con una cuchara coladora retirar los langostinos y mantener calientes en el horno a baja temperatura.

3 Colar el aceite del wok y dejar una cucharada. Agregar el ajo, el jengibre y el chile, freír durante 30 segundos. Añadir el cilantro, devolver los langostinos y freír revolviendo de 1 a 2 minutos o hasta que los langostinos estén bien cocidos y el ajo esté dorado. Pasar a un platón caliente para servir.

4 Para la salsa para remojar. En un tazón pequeño colocar la salsa de soya, el vinagre de arroz, el azúcar extrafina y el aceite de chile, batir con un tenedor. Incorporar las cebollas de cambray. Servir de inmediato con los langostinos calientes.

Ingredientes PORCIONES 4

450g/1 lb de langostinos medianos, crudos, pelados
1/4 cucharadita de sal
6 cucharadas de aceite de cacahuate
2 dientes de ajo, pelados, finamente picados
Raíz de jengibre fresco de 2.5cm, pelada, finamente picada
1 chile verde, sin semillas, finamente picado
4 racimos de cilantro fresco, hojas y tallos picados grueso

Para la salsa estilo chino:

3 cucharadas de salsa de soya oscura
3 cucharadas de vinagre de vino de arroz
1 cucharada de azúcar extrafina
2 cucharadas de aceite de chile
2 cebollas de cambray, finamente picadas

Albóndigas de pescado con salsa cremosa de chile

1 Cortar el pescado en trozos y colocar en el procesador de alimentos junto con la salsa de soya, la maicena y la yema de huevo. Sazonar al gusto con sal y pimienta. Licuar hasta que esté muy suave. Agregar el cilantro y procesar durante unos segundos más hasta que esté mezclado. Pasar a un tazón, tapar y refrigerar durante 30 minutos.

2 Con las manos mojadas tomar una porción pequeña de la mezcla y hacer pelotas del tamaño de una nuez, colocar en una charola forrada con papel encerado. Refrigerar durante 30 minutos más.

3 En una cacerola grande verter el caldo, dejar que suelte el hervor y cocinar a fuego muy lento. Agregar las pelotas de pescado y pochar de 3 a 4 minutos o hasta que estén bien cocidas.

4 Mientras hacer la salsa. En una cacerola pequeña calentar el aceite, agregar el ajo y las cebollas de cambray, freír hasta que doren. Incorporar el jerez, la salsa de chile y la de soya y el jugo de limón, retirar inmediatamente del fuego. Incorporar la crème fraîche y sazonar al gusto con sal y pimienta.

5 Con una cuchara coladora sacar las pelotas de pescado del caldo y colocarlas en un platón caliente para servir. Bañar con la salsa, decorar con el cilantro fresco y servir de inmediato.

Ingredientes PORCIONES 4

450g/1 lb de filete de pescado blanco, sin piel
1 cucharadita de salsa de soya oscura
1 cucharada de maicena
1 yema de huevo mediano
Sal y pimienta negra recién molida
3 cucharadas de cilantro recién picado, más extra para decorar
1.6 litros de caldo de pescado

Para la salsa cremosa de chile:

2 cucharaditas de aceite de cacahuate
2 dientes de ajo, pelados, finamente picados
4 cebollas de cambray, finamente rebanadas
2 cucharadas de jerez seco
1 cucharada de salsa de chile dulce
1 cucharada de salsa de soya clara
1 cucharada de jugo de limón
6 cucharadas de crème fraîche o crema fresca

Para decorar:

Ramitas de cilantro fresco
Tiras de zanahoria fresca

1

2

3

Palomitas y nueces cubiertas con ajonjolí

1 Para las palomitas, en un wok grande calentar la mitad del aceite a fuego medio-alto. Agregar 2 o 3 granos de maíz y tapar el wok. Cuando los granos revienten añadir el resto y tapar ajustadamente, hasta que dejen de reventar, agitando el wok de vez en cuando. Cuando dejen de reventar pasar las palomitas a un tazón y añadir de inmediato el resto del aceite al wok junto con el ajo, la sal y el chile en polvo. Freír revolviendo durante 30 segundos o hasta que estén incorporados y aromáticos. Devolver las palomitas al wok, freír revolviendo durante 30 segundos más o hasta que estén cubiertas. Regresar al tazón y servir calientes o a temperatura ambiente.

2 Para las nueces, en un wok grande colocar el azúcar, la canela, el polvo de cinco especias, la sal y la pimienta de Cayena y verter 50ml/2 fl oz de agua. Dejar que suelte el hervor a fuego alto, dejar a fuego lento durante 4 minutos, revolviendo con frecuencia.

3 Retirar del fuego e incorporar las nueces hasta que estén bien cubiertas. Pasar a una charola ligeramente engrasada para horno y espolvorear generosamente las semillas de ajonjolí.

4 Trabajando rápidamente con dos tenedores separar las nueces en porciones medianas. Espolvorear encima un poco más de ajonjolí y dejar enfriar por completo. Retirar de la charola y separar en trozos más pequeños si es necesario.

Ingredientes PORCIONES 4-6

Para las palomitas:

75ml/3 fl oz de aceite vegetal
75g/3 oz de maíz para palomitas, sin reventar
½ cucharadita de sal de ajo
1 cucharadita de chile en polvo, picante

Para las nueces:

50g/2 oz de azúcar
½ cucharadita de canela, molida
½ cucharadita de polvo de cinco especias chinas
¼ cucharadita de sal
¼ cucharadita de pimienta de Cayena
175g/6 oz de nueces pecanas, peladas
Semillas de ajonjolí, para espolvorear

Nuestra sugerencia

El maíz para palomitas es muy fácil de conseguir y debes guardarlo en un recipiente hermético.

1

1

3

Tostadas de langostinos

1 En un procesador de alimentos colocar los langostinos, la clara de huevo, las cebollas de cambray, el jengibre, el ajo, la maicena, la salsa picante y el azúcar. Sazonar al gusto con ½ cucharadita de sal y pimienta negra.

2 Procesar hasta que la mezcla forme una pasta suave, raspando una o dos veces las paredes del procesador.

3 Con una espátula de metal untar uniformemente la pasta en las rebanadas de pan. Espolvorear generosamente cada rebanada con las semillas de ajonjolí y presionar ligeramente para encajarlas en la pasta.

4 Quitar las costras de cada rebanada y cortar cada rebanada en diagonal para obtener cuatro triángulos. Cortar cada triángulo a la mitad para obtener ocho trozos de cada rebanada.

5 En un wok grande calentar el aceite vegetal a 190°C/375°F o hasta que un trozo pequeño de pan tarde 30 segundos aproximadamente en dorarse. Freír los triángulos de langostino en tandas, de 30 a 60 segundos o hasta que estén dorados, voltear una vez.

6 Retirar con una cuchara coladora y escurrir sobre papel absorbente. Mantener calientes. Acomodar sobre un platón grande para servir y decorar con las ramitas de cilantro fresco. Servir de inmediato.

Ingredientes PORCIONES 8-10

225g/8 oz de langostinos cocidos, pelados, descongelados, escurridos, secos
1 clara de huevo mediano
2 cebollas de cambray, recortadas, picadas
1cm de raíz de jengibre fresco, pelada, picada
1 diente de ajo, pelado, picado
1 cucharadita de maicena
2–3 gotas de salsa picante
½ cucharadita de azúcar
Sal y pimienta negra, recién molida
8 rebanadas de pan blanco, firme
4–5 cucharadas de semillas de ajonjolí
300ml de aceite vegetal, para freír
Ramitas de cilantro fresco, para decorar

Consejo
Ésta es una entrada china clásica. Sírvela con otras botanas o para acompañar bebidas.

1

3

4

Langostinos con ajonjolí

1 Girar las cabezas de los langostinos para separarlas del cuerpo y desecharlas. Pelar los langostinos y dejar las colas intactas para decorar. Con un cuchillo filoso retirar la vena de la parte posterior de los langostinos. Enjuagar y secar. Cortar a lo largo de la parte posterior sin cortar todo el cuerpo. Colocar sobre una tabla para picar y presionar firmemente para aplanar un poco.

2 En un procesador de alimentos colocar la harina, la mitad de las semillas de ajonjolí, sal y pimienta, procesar durante 30 segundos. Pasar a una bolsa de plástico y añadir los langostinos, de 4 a 5 a la vez. Girar la bolsa para sellar y agitarla para cubrirlos con la harina.

3 En un tazón pequeño batir el huevo junto con el resto de las semillas de ajonjolí, sal y pimienta.

4 En un wok grande calentar el aceite a 190°C/375°F o hasta que un cubo pequeño de pan se dore en 30 segundos aproximadamente. Sostener cada langostino por la cola y, en tandas, sumergir en el huevo batido antes de sumergir en el aceite. Cocer de 1 a 2 minutos hasta que estén crujientes y dorados, volteando una o dos veces. Con una cuchara coladora retirar los langostinos, escurrir sobre papel absorbente y mantener calientes.

5 Para hacer la salsa, batir la salsa de soya, las cebollas de cambray, los chiles, el aceite y el azúcar hasta que el azúcar se disuelva. Acomodar los langostinos en un platón, decorar con la cebolla de cambray y servir de inmediato.

Ingredientes PORCIONES 6-8

24 langostinos grandes, crudos
40g/1 oz de harina
4 cucharadas de semillas de ajonjolí
Sal y pimienta negra, recién molida
1 huevo grande
300ml de aceite vegetal, para freír

Para la salsa de soya:

50ml/2 fl oz de salsa de soya
1 cebolla de cambray, recortada, finamente picada
½ cucharadita de chiles, secos, machacados
1 cucharada de aceite de ajonjolí
1–2 cucharaditas de azúcar, o al gusto
Tiras de cebolla de cambray, para decorar

Nuestra sugerencia

Los langostinos crudos son fáciles de encontrar, pero son más baratos si los compras congelados en las tiendas especializadas en productos asiáticos.

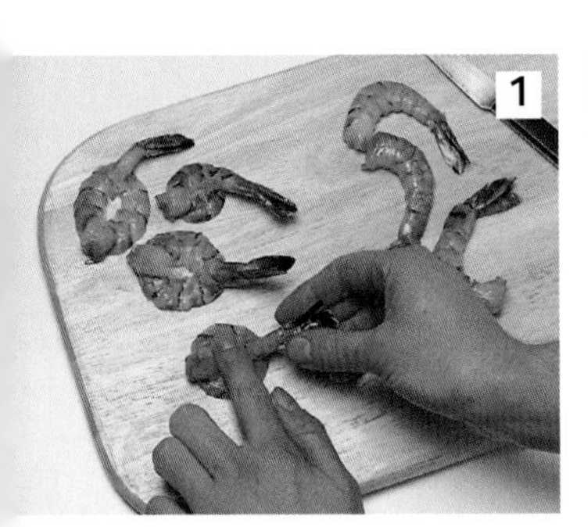

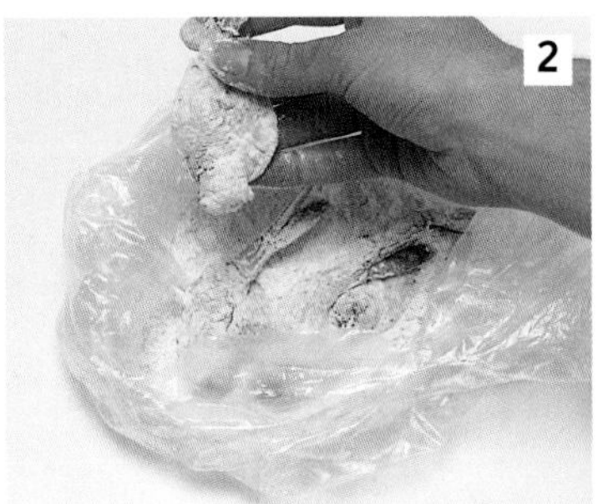

Rollos primavera

1 Remojar los hongos shiitake en agua casi hirviendo durante 20 minutos. Retirar y exprimir para eliminar el líquido. Desechar los tallos, rebanar y reservar. Remojar el vermicelli de arroz siguiendo las instrucciones del paquete.

2 Calentar un wok grande, añadir el aceite y, cuando esté caliente, agregar la cebolla, el ajo y el jengibre; freír revolviendo durante 2 minutos. Agregar la carne de cerdo, las cebollas de cambray y los hongos shiitake y freír revolviendo durante 4 minutos. Incorporar el germen de soya, las castañas de agua, el cebollín, los langostinos, la salsa de ostión y la de soya. Sazonar al gusto con sal y pimienta y pasar a un tazón.

3 Escurrir el fideo y añadir al tazón, revolver bien para mezclar y dejar enfriar.

4 Diluir la harina en 3 a 4 cucharadas de agua para obtener una pasta tersa. Remojar una lámina para rollo primavera en un plato con agua caliente de 1 a 2 segundos, escurrir. Colocar 2 cucharadas del relleno cerca de un extremo de la lámina, doblar la lámina sobre el relleno y doblar hacia dentro los lados, enrollar completamente. Sellar con un poco de la pasta de harina y pasar a una charola para horno, colocar con el doblez hacia abajo. Repetir con el resto de las láminas.

5 En un wok grande calentar el aceite a 190°C/375°F o hasta que un cuadrito de pan tarde 30 segundos en dorarse. Freír los rollos primavera, en tandas, hasta que estén dorados. Retirar y escurrir sobre papel absorbente. Acomodar en un platón y decorar con las tiras de cebolla de cambray. Servir de inmediato.

Ingredientes RINDE 20-30 ROLLOS

Para el relleno:

15g/½ oz de hongos shiitake, deshidratados
50g/2 oz vermicelli de arroz o fideo chino
1–2 cucharadas de aceite de cacahuate
1 cebolla pequeña, finamente picada
3–4 dientes de ajo, pelados, finamente picados
Raíz de jengibre fresco de 4cm, pelada, picada
225g/8 oz de carne de cerdo, recién molida
2 cebollas de cambray, finamente picadas
75g/3 oz de germen de soya
4 castañas de agua, picadas
2 cucharadas de cebollín, recién picado
175g/6 oz de langostinos, cocidos, picados
1 cucharadita de salsa de ostión
1 cucharadita de salsa de soya
Sal y pimienta negra, recién molida
Tiras de cebollas de cambray, para decorar

Para envolver:

4–5 cucharadas de harina
26–30 láminas para rollo primavera
300ml de aceite vegetal, para freír

Panecillos al vapor con cerdo barbecue

1 En un tazón colocar 75g/3 oz de la harina e incorporar la levadura. En una sartén colocar la leche, el aceite, el azúcar y la sal hasta que estén calientes, revolviendo hasta que el azúcar se disuelva. Verter al tazón y con una batidora eléctrica batir a velocidad baja durante 30 segundos, hasta que esté bien mezclada. Batir a velocidad alta durante 3 minutos y, con una cuchara de madera, incorporar la cantidad necesaria del resto de la harina hasta obtener una masa firme. Darle forma de pelota, colocar en un tazón ligeramente engrasado, cubrir con plástico adherente y dejar reposar durante 1 hora en un lugar caliente o hasta que doble su tamaño.

2 Para hacer el relleno, calentar un wok y verter el aceite, cuando esté caliente agregar el pimiento rojo y el ajo. Freír revolviendo de 4 a 5 minutos. Añadir el resto de los ingredientes y dejar que suelte el hervor, freír revolviendo de 2 a 3 minutos, hasta que esté espeso y con consistencia de jarabe. Dejar enfriar y reservar.

3 Desinflar la masa y pasar a una superficie ligeramente enharinada. Dividir en 12 porciones y darles forma de pelota, cubrirlas y dejar reposar durante 5 minutos. Extender cada pelota para formar un círculo de 7.5cm de ancho. Colocar una cucharada copeteada del relleno en el centro de cada círculo. Humedecer las orillas y colocarlas sobre el relleno, pellizcar las orillas para sellar. Con las uniones hacia abajo colocar sobre un cuadrado pequeño de papel encerado. Repetir con el resto de la masa y del relleno. Dejar que suban durante 10 minutos. Llenar la mitad de un wok con agua y dejar que suelte el hervor, colocar los panecillos en una vaporera china ligeramente engrasada, sin que se toquen entre sí. Tapar y cocer al vapor de 20 a 25 minutos, retirar y dejar enfriar ligeramente. Decorar con las tiras de cebolla de cambray y servir con las hojas para ensalada.

Ingredientes PORCIONES 12

Para los panecillos:

175–200g/6–7 oz de harina
1 cucharada de levadura seca
125ml/4 fl oz de leche
2 cucharadas de aceite de girasol
1 cucharada de azúcar
½ cucharadita de sal
Tiras de cebolla de cambray, para decorar
Hojas frescas para ensalada, para servir

Para el relleno:

2 cucharadas de aceite vegetal
1 pimiento rojo pequeño, sin semillas, finamente picado
2 dientes de ajo, pelados, finamente picados
225g/8 oz de carne de cerdo, cocida, finamente picada
50g/2 oz de azúcar morena clara
50ml/2 fl oz de salsa cátsup
1–2 cucharaditas de chile en polvo, o al gusto

Rollos primavera rellenos de pollo

1 Calentar aceite en un wok grande, añadir el tocino en cubos y freír revolviendo de 2 a 3 minutos o hasta que esté dorado. Agregar el pollo y el pimiento, freír revolviendo de 2 a 3 minutos más. Añadir el resto de los ingredientes para el relleno y freír revolviendo de 3 a 4 minutos hasta que todas las verduras estén suaves. Pasar a un colador y dejar que la mezcla escurra mientras se enfría completamente.

2 Diluir la harina con 1 ½ cucharadas de agua para obtener una pasta. Remojar cada lámina en un plato con agua caliente de 1 a 2 segundos y poner en una tabla para picar. Colocar de 2 a 3 cucharadas del relleno cerca del extremo inferior. Doblar el extremo sobre el relleno para cubrirlo. Doblar las orillas hacia dentro y enrollar. Sellar la orilla con un poco de la pasta de la harina y presionar para sellar firmemente. Transferir a una charola para horno con el doblez hacia abajo.

3 En un wok grande calentar el aceite a 190°C/375°F o hasta que un cubo pequeño de pan se dore en 30 segundos aproximadamente. En tandas de 3 a 4 rollos, freír hasta que estén crujientes y dorados, volteando una vez, durante 2 minutos aproximadamente. Retirar y escurrir sobre papel absorbente. Acomodar los rollos primavera sobre un platón para servir, decorar con las tiras de cebolla de cambray y servir calientes con salsa como dip.

Ingredientes RINDE 12-14 ROLLOS

Para el relleno:

1 cucharada de aceite vegetal
2 rebanadas de tocino, en cubos
225g/8 oz de filetes de pechuga de pollo, sin piel, finamente rebanados
1 pimiento rojo pequeño, sin semillas, finamente picado
4 cebollas de cambray, finamente picadas
Raíz de jengibre fresco de 2.5cm, pelada, finamente picada
75g/3 oz de berenjena, finamente rebanada
75g/3 oz de germen de soya
1 cucharada de salsa de soya
2 cucharaditas de vino de arroz chino o jerez seco
2 cucharaditas de salsa hoisin o salsa de ciruela

Para envolver:

3 cucharadas de harina
12–14 láminas para rollos primavera
300ml de aceite vegetal, para freír
Cebollas de cambray ralladas, para decorar
Salsa para acompañar, como dip

Wontones rellenos de cerdo

1 En un procesador de alimentos colocar todos los ingredientes para el relleno y procesar con el botón de pulso hasta que estén bien incorporados. No procesar en exceso, el relleno debe tener una textura gruesa.

2 Extender las láminas para wonton sobre una tabla limpia para picar y colocar 1 cucharadita del relleno en el centro de cada una.

3 Barnizar las orillas con un poco de agua y doblar dos esquinas opuestas de cada lámina para formar un triángulo, presionar firmemente las orillas para sellar. Humedecer las otras dos esquinas y unirlas en el centro, presionando firmemente, un poco superpuestas, para darle forma de sobre, parecido a un tortellini.

4 Para la salsa, batir todos los ingredientes para la salsa hasta que el azúcar se disuelva. Verter a un tazón para servir y reservar.

5 En un wok grande calentar el aceite a 190°C/375°F o hasta que un cubo pequeño de pan se dore en 30 segundos aproximadamente.

6 En tandas de 5 a 6 freír los wontones hasta que estén crujientes y dorados, volteando una o dos veces. Retirar y escurrir sobre papel absorbente. Decorar con las tiras de cebolla de cambray y servir calientes con la salsa como dip.

Ingredientes PORCIONES 24

Para el relleno:

275g/10 oz de carne de cerdo, cocida, finamente picada
2–3 cebollas de cambray, finamente picadas
Raíz de jengibre fresco de 2.5cm, rallada
1 diente de ajo, pelado, machacado
1 huevo pequeño, ligeramente batido
1 cucharada de salsa de soya
1 cucharadita de azúcar morena
1 cucharadita de salsa de chile dulce o salsa cátsup
24–30 láminas para wontones, en cuadrados de 8cm
300ml de aceite vegetal, para freír

Para la salsa de jengibre:

4 cucharadas de salsa de soya
1–2 cucharadas de vinagre de arroz o de jerez
Raíz de jengibre fresco de 2.5cm, pelada, fileteada
1 cucharada de aceite de ajonjolí
1 cucharada de azúcar morena
2–3 gotas de salsa picante
Tiras de cebolla de cambray, para decorar

1

3

6

Ensalada de langostinos con arroz tostado

1 En un tazón pequeño colocar todos los ingredientes para el aderezo y dejar reposar para que se integren los sabores.

2 Con un cuchillo filoso partir cada langostino en mitades a lo largo, dejando la cola en una mitad. Retirar la vena y secar los langostinos con papel absorbente. Espolvorear con un poco de sal y pimienta de Cayena y reservar.

3 Calentar un wok a fuego alto. Agregar el arroz y freír revolviendo hasta que esté dorado y aromático. Pasar a un mortero y dejar enfriar, machacar ligeramente hasta formar migajas gruesas. Limpiar el wok.

4 Recalentar el wok y verter el aceite, cuando esté caliente agregar los langostinos y freír revolviendo durante 2 minutos o hasta que tomen un color rosado. Acomodar en un plato y sazonar al gusto con sal y pimienta.

5 En un platón para ensalada colocar la col china o lechuga romana junto con el pepino, el cebollín y las hojas de menta, revolver ligeramente.

6 Retirar el tallo de limoncillo y un poco de chile del aderezo, verter 2 cucharadas del aderezo sobre la ensalada y revolver para cubrir bien. Agregar los langostinos y bañar con el resto del aderezo, espolvorear encima el arroz tostado y servir.

Ingredientes PORCIONES 4

Para el aderezo:

50ml/2 fl oz de vinagre de arroz
1 chile rojo, sin semillas, finamente rebanado
7.5cm de tallo de limoncillo, machacado
Jugo de 1 limón verde
2 cucharadas de salsa de pescado tai
1 cucharadita de azúcar, o al gusto

Para la ensalada:

350g/12 oz de langostinos grandes, crudos, pelados, con colas, sin cabezas
Pimienta de Cayena
1 cucharada de arroz blanco de grano largo
Sal y pimienta negra, recién molida
2 cucharadas de aceite de girasol
1 cabeza grande de col china o lechuga romana, rebanada
½ pepino pequeño, pelado, sin semillas, finamente rebanado
1 manojo pequeño de cebollín, cortado en trozos de 2.5cm
Manojo pequeño de hojas de menta

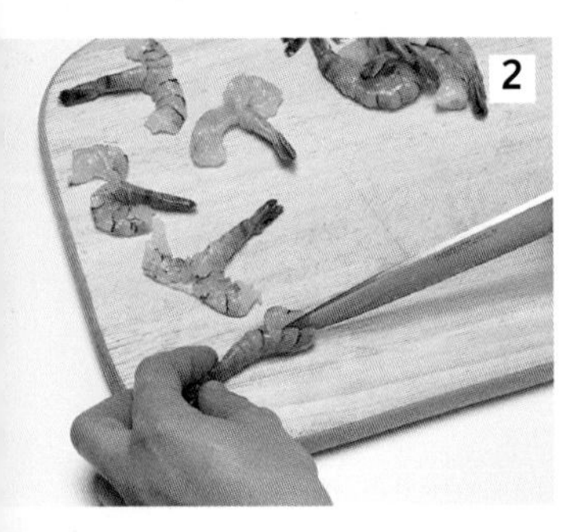

Costillas braseadas

Ingredientes PORCIONES 4

900g/2 lb de costillas, cortadas diagonalmente en trozos de 7.5cm
125ml/4 fl oz de néctar de durazno o jugo de naranja
50ml/2 fl oz de vino blanco seco
3 cucharadas de salsa de frijol negro
3 cucharadas de salsa cátsup
2 cucharadas de miel clara
3–4 cebollas de cambray, picadas
2 dientes de ajo, pelados, machacados
Ralladura de 1 naranja pequeña
Sal y pimienta negra, recién molida

Para decorar:
Tiras de cebolla de cambray
Gajos de limón

1 En un wok colocar las costillas y verter agua fría suficiente para cubrirlas. Dejar que suelte el hervor a fuego medio-alto, quitando la grasa que se forme en la superficie. Tapar y cocinar a fuego lento durante 30 minutos, colar y reservar las costillas.

2 Enjuagar y secar el wok, devolver las costillas al wok. En un tazón batir el néctar de durazno o el jugo de naranja junto con el vino blanco, la salsa de frijol negro, la salsa cátsup y la miel hasta que se haga una mezcla suave.

3 Incorporar las cebollas de cambray, los dientes de ajo y la ralladura de naranja. Revolver bien para mezclar.

4 Verter la mezcla sobre las costillas y revolver hasta que las costillas estén ligeramente cubiertas. Colocar sobre fuego moderado y dejar que suelte el hervor.

5 Tapar y cocinar a fuego lento, revolviendo ocasionalmente, durante 1 hora o hasta que las costillas estén suaves y la salsa esté espesa y pegajosa. Si la salsa se reduce demasiado rápido o comienza a pegarse añadir 1 cucharada de agua a la vez, hasta que las costillas estén suaves. Ajustar la sazón al gusto y acomodar las costillas en un platón para servir, decorar con las tiras de cebolla de cambray y los gajos de limón. Servir de inmediato.

Nuestra sugerencia

Pídele al carnicero que corte las costillas, pues tienen mucho hueso. Hervir las costillas antes de cocerlas en la salsa reduce el contenido de grasa y así quedan suaves y más ricas.

1

2

4

Muslos de pollo con glaseado de soya

1. Calentar un wok grande, verter el aceite y cuando esté caliente agregar los muslos de pollo; freír revolviendo durante 5 minutos o hasta que estén dorados. Retirar y dejar escurrir sobre papel absorbente. Freír el pollo en 2 o 3 tandas.

2. Retirar el aceite y la grasa del wok, limpiar con papel absorbente. Agregar el ajo al wok junto con la raíz de jengibre, la salsa de soya, el vino de arroz chino o jerez y la miel, revolver bien. Espolvorear el azúcar morena y añadir la salsa de chile al gusto, colocar el wok al fuego y dejar que suelte el hervor.

3. Reducir a fuego lento, añadir los muslos de pollo. Tapar el wok y cocinar a fuego muy lento durante 30 minutos, o hasta que estén muy suaves y la salsa se haya reducido y espesado y cubra los muslos.

4. Revolver ocasionalmente o bañar los muslos con la salsa; añadir un poco de agua si la salsa comienza a espesar demasiado. Acomodar en un platón para servir, decorar con el perejil recién picado y servir de inmediato.

Ingredientes PORCIONES 6-8

900g/2 lb de muslos de pollo
2 cucharadas de aceite vegetal
3–4 dientes de ajo, pelados, machacados
Raíz de jengibre fresco de 4cm, pelada, finamente rallada o picada
125ml/4 fl oz de salsa de soya
2–3 cucharadas de vino de arroz chino o de jerez seco
2 cucharadas de miel clara
1 cucharada de azúcar morena
2–3 gotas de salsa de chile picante, o al gusto
Perejil, recién picado, para decorar

Consejo

A veces nos olvidamos de las alitas de pollo, que son muy baratas y llenas de sabor. Servidas de esta manera, con una cubierta pegajosa, son una botana deliciosa. Sírvelas con tazones para enjuagar las manos.

1

2

3

Pato desmenuzado en hojas de lechuga

1. Cubrir los hongos shiitake con agua casi hirviendo, dejar reposar durante 20 minutos antes de colar y rebanar finamente.

2. Calentar el aceite en un wok grande, agregar el pato y freír revolviendo de 3 a 4 minutos o hasta que esté sellado. Retirar con una cuchara coladora y reservar.

3. Agregar el chile al wok junto con las cebollas de cambray, el ajo y los hongos shiitake, freír revolviendo de 2 a 3 minutos o hasta que se suavicen.

4. Añadir al wok el germen de soya, la salsa de soya, el vino de arroz chino o jerez seco y la miel o azúcar morena y freír revolviendo durante 1 minuto, o hasta que se incorporen.

5. Agregar el pato reservado y freír revolviendo durante 2 minutos o hasta que esté bien mezclado y caliente. Pasar a un platón para servir.

6. Verter la salsa hoisin en un tazón pequeño sobre un platón con las hojas de lechuga y las hojas de menta.

7. Para comer, verter un poco de salsa hoisin sobre una hoja de lechuga, colocar encima una cucharada del pato y las verduras, enrollar la lechuga para encerrar el relleno. Servir con la salsa como dip.

Ingredientes PORCIONES 4-6

15g/½ oz de hongos shiitake, deshidratados
2 cucharadas de aceite vegetal
400g/14 oz de pechuga de pato, sin hueso, sin piel, cortado en tiras diagonales
1 chile rojo, sin semillas, rebanado en diagonal
4 a 6 cebollas de cambray, rebanadas en diagonal
2 dientes de ajo, pelados, machacados
75g/3 oz de germen de soya
3 cucharadas de salsa de soya
1 cucharada de vino de arroz chino o de jerez seco
1–2 cucharaditas de miel clara o azúcar morena
4–6 cucharadas de salsa hoisin
Hojas grandes de lechuga, crujientes, como la romana
Manojo de hojas de menta fresca
Salsa como dip (ver Langostinos con ajonjolí, página 160)

Dato culinario

La salsa hoisin es una salsa china dulce y aromática que se prepara con frijoles de soya, azúcar, ajo y chile, principalmente.

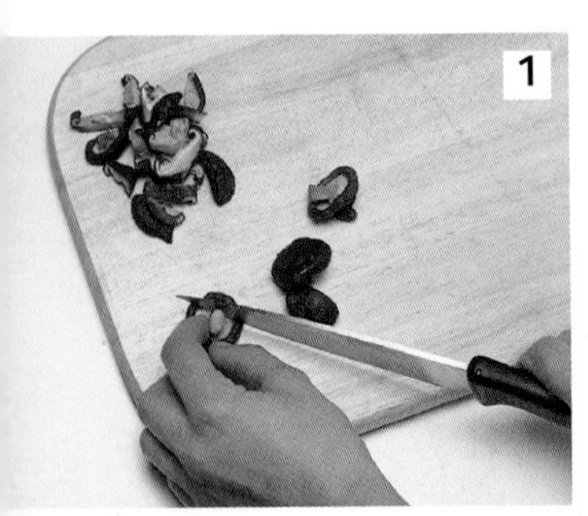

Albóndigas suecas

1 En un tazón calentar la mitad de la mantequilla, agregar la cebolla y freír, revolviendo frecuentemente, de 4 a 6 minutos o hasta que esté suave y comience a tomar color. Pasar a un tazón y dejar enfriar. Limpiar el wok con papel absorbente. Añadir el pan molido y el huevo batido con 1 o 2 cucharadas de crema a la cebolla suavizada. Sazonar al gusto con sal y pimienta, revolver. Con los dedos desmenuzar la carne de res y la de cerdo, colocar en el tazón. Agregar el eneldo, la pimienta inglesa y mezclar con las manos hasta incorporar bien. Con las manos húmedas formar pelotas de 2.5cm.

2 En el wok derretir el resto de la mantequilla y verter el aceite vegetal, ladear el wok para cubrir las paredes. En tandas, añadir de un cuarto a un tercio de las albóndigas, en una sola capa, y freír durante 5 minutos, volteando hasta que estén doradas y cocidas. Pasar a un plato y continuar cociendo el resto de las albóndigas.

3 Retirar la grasa del wok. Verter el caldo de res y dejar que suelte el hervor, cocinar hasta que se reduzca a la mitad, revolviendo y raspando el fondo del wok. Añadir el resto de la crema y cocinar a fuego lento hasta que se espese ligeramente y se reduzca. Incorporar el resto del eneldo y sazonar si es necesario. Agregar las albóndigas y cocinar a fuego lento de 2 a 3 minutos o hasta que estén bien calientes. Servir con palillos, colocar la salsa en un tazón aparte como dip.

Ingredientes PORCIONES 4-6

50g/2 oz de mantequilla
1 cebolla, finamente picada
50g/2 oz de pan blanco molido, fresco
1 huevo mediano, batido
125ml/4 fl oz de crema agria
Sal y pimienta negra, recién molida
350g/12 oz de carne de res, magra, molida
125g/4 oz de carne de cerdo, molida
3–4 cucharadas de eneldo, recién picado
½ cucharadita de pimienta inglesa
1 cucharada de aceite vegetal
125ml/4 fl oz de caldo de res
Queso crema y cebollín o salsa de arándanos, para servir

1

1

2

Pollo y cordero satay

1 Precalentar la parrilla justo antes de cocinar. Remojar las brochetas de bambú durante 30 minutos antes de usarlas. Cortar el pollo y el cordero en tiras finas, de 7.5cm de largo y colocar en dos platos separados. Batir todos los ingredientes de la marinada y verter la mitad sobre el pollo y la mitad sobre el cordero. Revolver ligeramente hasta que estén cubiertas, tapar con plástico adherente y dejar marinar en el refrigerador durante 2 horas por lo menos, volteando ocasionalmente.

2 Retirar el pollo y el cordero de la marinada y encajar en las brochetas. Reservar la marinada. Acomodar bajo el grill precalentado de 8 a 10 minutos o hasta que estén cocidos, volteando y barnizando con la marinada.

3 Mientras, preparar la salsa de cacahuate. Licuar la leche de coco junto con la crema de cacahuate, la salsa de pescado, el jugo de limón, el chile en polvo y el azúcar. Verter a una cacerola y cocinar ligeramente durante 5 minutos, revolviendo ocasionalmente, sazonar al gusto con sal y pimienta. Decorar con las ramitas de cilantro y los gajos de limón, servir las brochetas con la salsa preparada.

Ingredientes PORCIONES 16

225g/8 oz de pollo, sin piel, sin hueso
225g/8 oz de cordero magro

Para la marinada:

1 cebolla pequeña, finamente picada
2 dientes de ajo, pelados, machacados
Raíz de jengibre fresco de 2.5cm, pelada, rallada
4 cucharadas de salsa de soya
1 cucharadita de azúcar morena
2 cucharadas de jugo de limón verde
1 cucharada de aceite vegetal

Para la salsa de cacahuate:

300ml de leche de coco
4 cucharadas de crema de cacahuate, con trozos
1 cucharada de salsa de pescado tai
1 cucharadita de jugo de limón verde
1 cucharada de chile en polvo
1 cucharada de azúcar morena
Sal y pimienta negra, recién molida

Para decorar:

Ramitas de cilantro fresco
Gajos de limón verde

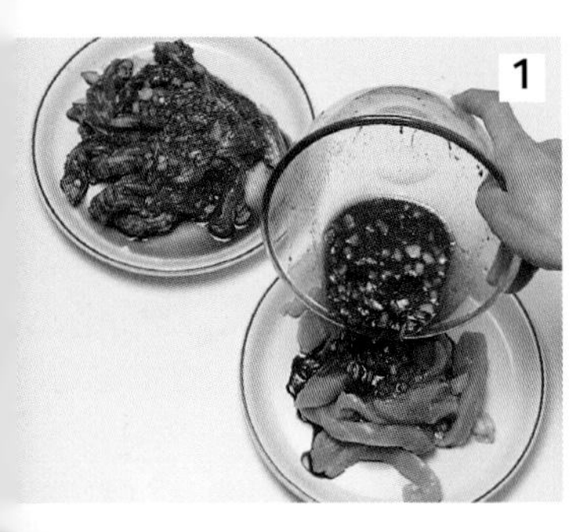

Pastelitos de elote dulce

1 En un tazón colocar la harina con el polvo para hornear, hacer un pozo en el centro y añadir el curry en pasta, la salsa de soya y el azúcar junto con las hojas de lima kaffir, los ejotes y los granos de elote. Sazonar al gusto con sal y pimienta, batir 1 huevo y añadirlo a la mezcla. Incorporar con un tenedor de 1 a 2 cucharadas de agua fría para obtener una masa suave. Amasar ligeramente sobre una superficie enharinada y formar una pelota.

2 Repartir la mezcla en 16 porciones y formar pelotitas pequeñas, aplanarlas para hacer pasteles de 1cm de grosor y de 7.5cm de diámetro. Batir el huevo restante y colocar en un tazón. Sumergir los pasteles en un poco del huevo batido y después en el pan molido hasta que estén ligeramente cubiertos.

3 Calentar el aceite en un wok o en una freidora a 180°C/350°F y freír los pastelitos de 2 a 3 minutos o hasta que tomen un color dorado. Con una cuchara coladora sacar y escurrir sobre papel absorbente.

4 Mientras, batir la salsa hoisin, el azúcar, 1 cucharada de agua y el aceite de ajonjolí hasta integrar bien, verter a un tazón pequeño. Servir de inmediato con los pastelitos de elote, el pepino y las cebollas de cambray.

Ingredientes PORCIONES 6-8

250g/9 oz de harina
2 ½ cucharaditas de polvo para hornear
3 cucharadas de curry rojo tai, en pasta
2 cucharadas de salsa de soya clara
2 cucharaditas de azúcar
2 hojas de lima kaffir, finamente picadas (hojas de sabor cítrico y floral)
12 ejotes finos, finamente picados, blanqueados
340g de granos de elote dulce, de lata
Sal y pimienta negra, recién molida
2 huevos medianos
50g/2 oz de pan blanco, molido, fresco
Aceite vegetal, para freír

Para la salsa:

2 cucharadas de salsa hoisin (salsa de soya con ajo, vinagre, y chile)
1 cucharada de azúcar morena
1 cucharada de aceite de ajonjolí

Para servir:

Rebanadas de pepino cortado a la mitad
Cebollas de cambray, rebanadas diagonalmente

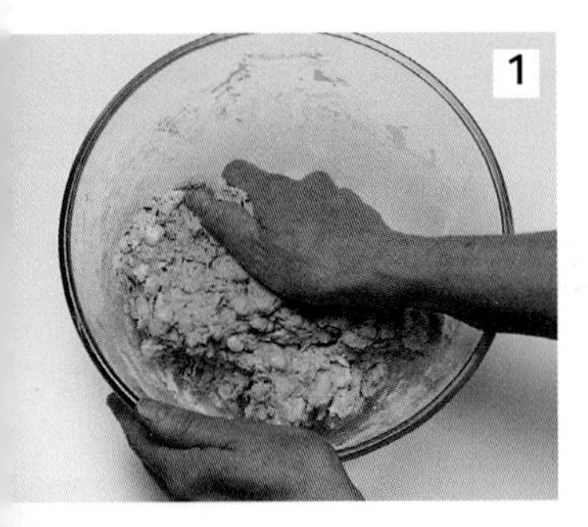

Paquetes de cerdo dim sum

1 En un tazón colocar las castañas de agua, los langostinos, la carne de cerdo y el tocino, mezclar bien. Verter las salsas de soya, el vino de arroz chino, el jengibre, la cebolla de cambray picada, el aceite de ajonjolí y la clara de huevo. Sazonar al gusto con sal y pimienta, espolvorear el azúcar, mezclar bien el relleno.

2 En el centro de una envoltura para wonton colocar una cucharada del relleno. Levantar los lados, presionar alrededor del relleno para darle forma de canasta. Aplanar la base para que se pare. La parte superior debe quedar abierta, con el relleno a la vista.

3 Colocar los paquetes en un recipiente resistente al fuego, sobre una rejilla dentro de un wok o en la base de una vaporera de bambú forrada con una muselina. Llenar la mitad del wok con agua hirviendo, tapar, cocer los paquetes al vapor durante 20 minutos aproximadamente, en dos tandas. Pasar a un platón caliente para servir, espolvorear las semillas de ajonjolí tostado, bañar con la salsa de soya y servir de inmediato.

Ingredientes PORCIONES 40

125g/4 oz de castañas de agua, de lata, coladas, finamente picadas
125g/4 oz de langostinos crudos, pelados, sin vena, picados grueso
350g/12 oz de carne de cerdo, molida
2 cucharadas de tocino ahumado, finamente picado
1 cucharada de salsa de soya clara, más extra para servir
1 cucharadita de salsa de soya oscura
1 cucharada de vino de arroz chino
2 cucharadas de raíz de jengibre fresco, pelada, finamente picada
3 cebollas de cambray, finamente picadas
2 cucharaditas de aceite de ajonjolí
1 clara de huevo mediano, ligeramente batida
Sal y pimienta negra, recién molida
2 cucharaditas de azúcar
40 envolturas para wonton, descongeladas

Para decorar:
Semillas de ajonjolí tostadas
Salsa de soya

Canapés mixtos

1 Para los canapés de queso, cortar las costras del pan, aplanar ligeramente con un rodillo. Untar la mantequilla sobre las rebanadas y espolvorear encima los quesos mezclados.

2 Enrollar ajustadamente cada rebanada y cortar en cuatro rebanadas, cada una de 2.5cm de largo. En un wok o una sartén grande calentar el aceite y freír revolviendo los rollos de queso en dos tandas, volteándolos constantemente hasta que estén dorados y crujientes. Escurrir sobre papel absorbente y servir calientes o fríos.

3 Para las nueces picantes, en un wok derretir la mantequilla junto con el aceite, agregar las nueces y freír a fuego lento durante 5 minutos, revolviendo constantemente, o hasta que comiencen a tomar color.

4 Espolvorear la paprika y el comino sobre las nueces y freír revolviendo de 1 a 2 minutos más o hasta que las nueces estén doradas.

5 Retirar del wok y escurrir sobre papel absorbente. Espolvorear con la sal, decorar con las ramitas de cilantro fresco y servir calientes o frías. Si los canapés se sirven fríos guardarlos en contenedores herméticos.

Ingredientes PORCIONES 12

Para los canapés de queso:

6 rebanadas de pan blanco, gruesas
40g/1 ½ oz de mantequilla, suavizada
75g/3 oz de queso cheddar maduro, rallado
75g/3 oz de queso azul, como stilton o gorgonzola, desmenuzado
3 cucharadas de aceite de girasol

Para las nueces picantes:

25g/1 oz de mantequilla sin sal
2 cucharadas de aceite de oliva, clara
450g/1 lb de nueces mixtas, sin sal
1 cucharadita de paprika, molida
½ cucharadita de comino, molido
½ cucharadita de sal de mar, fina
Ramitas de cilantro fresco, para decorar

Consejo

Estos canapés son excelentes para servirlos en un bufé o un almuerzo o, si reduces las cantidades a la mitad puedes servirlos con bebidas en lugar de las entradas en una cena informal para 4 a 6 personas.

Langostinos mediterráneos

1. Pelar los langostinos y dejar sólo la piel de las colas. Con un cuchillo filoso pequeño retirar la vena de la parte posterior de los langostinos. Enjuagar y escurrir sobre papel absorbente.

2. En un tazón pequeño batir 2 cucharadas del aceite junto con el ajo, la ralladura y el jugo de limón. Con un rodillo machacar 1 ramita de romero y añadir al tazón. Agregar los langostinos, revolver para mezclar, tapar y dejar marinar en el refrigerador hasta usarse.

3. Para los dips, en un tazón mezclar el yogur con el pesto y en otro tazón mezclar la crème fraîche, la pasta de tomate y la mostaza. Sazonar con sal y pimienta.

4. Calentar un wok, verter el resto del aceite y ladear para cubrir las paredes. Retirar los langostinos de la marinada, escurrir. Agregar los langostinos al wok y freír revolviendo a fuego alto de 3 a 4 minutos o hasta que los langostinos estén rosas y bien cocidos.

5. Retirar los langostinos del wok y acomodar en un platón grande. Decorar con los gajos de limón y más ramitas de romero fresco, servir calientes o fríos con los dips.

Ingredientes PORCIONES 4

20 langostinos crudos
3 cucharadas de aceite de oliva
1 diente de ajo, pelado, machacado
Jugo y ralladura fina de ½ limón amarillo
Ramitas de romero fresco

Para el dip de pesto y de jitomate deshidratado:

150ml de yogur griego
1 cucharada de pesto
150ml de crème fraîche o crema fresca
1 cucharada de pasta de tomates deshidratados
1 cucharada de mostaza de grano entero
Sal y pimienta negra, recién molida
Gajos de limón amarillo, para decorar

Consejo

Los langostinos deben cocerse bien, pero ten cuidado de no hacerlo en exceso pues se ponen duros. Sácalos del refrigerador y déjalos reposar a temperatura ambiente durante 15 minutos antes de freírlos.

1

2

4

Tarta de eglefino ahumado

1 Precalentar el horno a 190°C/375°F. En un tazón grande cernir la harina y la sal. Añadir la manteca y la mantequilla o margarina y mezclar ligeramente. Con los dedos frotar con la harina hasta que la mezcla parezca migajas de pan.

2 Esparcir 1 cucharada de agua fría en la mezcla y, con un cuchillo, comenzar a incorporar, usar las manos al final si es necesario. Verter un poco más de agua si la masa no forma una pelota de manera instantánea. Colocar la masa en una bolsa de plástico y refrigerar durante 30 minutos por lo menos.

3 Sobre una superficie ligeramente enharinada extender la masa y forrar un molde ligeramente engrasado para *quiche* o pay de 18cm. Con un tenedor perforar la base varias veces y hornear en blanco en el horno precalentado durante 15 minutos.

4 Retirar la masa del horno, barnizar con un poco del huevo batido.

5 Devolver al horno durante 5 minutos más y colocar el pescado en el molde.

6 Para el relleno, batir los huevos y la crema. Añadir la mostaza, la pimienta negra y el queso, verter sobre el pescado.

7 Espolvorear el cebollín encima y hornear de 35 a 40 minutos o hasta que el relleno esté dorado y el centro esté cuajado. Servir caliente o fría, decorada con los gajos de limón y de jitomate, y acompañada con las hojas para ensalada.

Ingredientes PORCIONES 6

Para la costra:
150g/5 oz de harina
1 pizca de sal
25g/1 oz de manteca de cerdo o manteca vegetal, cortada en cubos pequeños
40g/1 ½ oz de mantequilla o margarina, cortada en cubos pequeños

Para el relleno:
225g/8 oz de eglefino ahumado, sin piel, cortado en cubos
2 huevos grandes, batidos
300ml de crema agria
1 cucharadita de mostaza de Dijon
Pimienta negra, recién molida
125g/4 oz de queso gruyere, rallado
1 cucharada de cebollín, recién picado

Para servir:
Gajos de limón
Gajos de jitomate
Hojas verdes frescas para ensalada

Quiche de queso stilton con jitomates y calabacitas

1 Precalentar el horno a 190°C/375°F. Sobre una superficie ligeramente enharinada extender la masa y forrar un molde para *quiche* o pay ligeramente engrasado de 18cm; con un cuchillo recortar la masa sobrante.

2 Con un tenedor perforar la base varias veces y hornear en blanco en el horno precalentado durante 15 minutos. Retirar la masa del horno, barnizar con un poco del huevo batido. Devolver al horno durante 5 minutos más.

3 En una sartén calentar la mantequilla y freír ligeramente la cebolla y la calabaza durante 4 minutos aproximadamente hasta que estén suaves y comiencen a suavizarse. Pasar al molde.

4 Espolvorear uniformemente el queso stilton sobre la base y colocar encima las mitades de jitomate. Batir los huevos y la crème fraîche, sazonar al gusto con sal y pimienta.

5 Verter el relleno en el molde y hornear de 35 a 40 minutos o hasta que el relleno esté dorado y el centro cuajado. Servir el quiche caliente o frío.

Ingredientes PORCIONES 4

1 tanto de masa (Ver página 190)
25g/1 oz de mantequilla
1 cebolla, finamente picada
1 calabacita rebanada
125g/4 oz de queso stilton, desmenuzado (queso azul)
6 jitomates cherry, en mitades
2 huevos grandes, batidos
200ml de crème fraîche o crema fresca
Sal y pimienta negra, recién molida

Dato culinario

El queso stilton es tan popular en Inglaterra que por lo general se incluye en la tabla de quesos o se sirve como almuerzo. Gran parte de su sabor penetrante proviene de sus vetas (que se forman con los alambres de acero insertados en el queso durante el proceso de maduración). Vale la pena buscar un queso stilton con muchas vetas y que haya sido madurado por mucho tiempo.

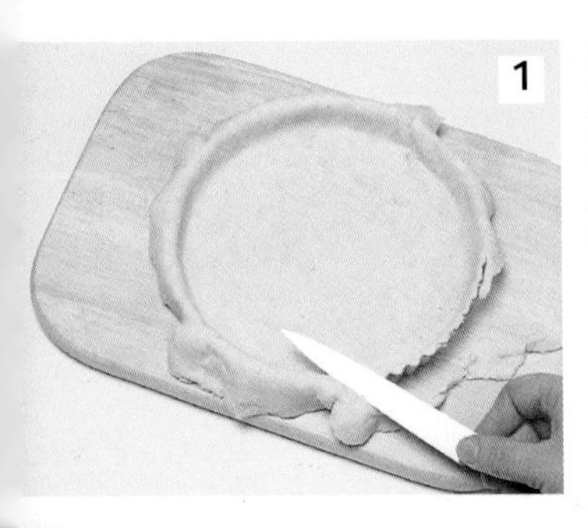
1

3

4

Tarta francesa de cebolla

1 Precalentar el horno a 200°C/400°F. Refrigerar la mantequilla durante 30 minutos. En un tazón grande cernir la harina y la sal. Sacar la mantequilla del refrigerador y rallar usando el lado grande del rallador, sumergiendo de vez en cuando la mantequilla en la harina para facilitar el rallado. Con un cuchillo incorporar la mantequilla con la harina, asegurarse de que la mantequilla quede bien cubierta con la harina. Agregar 2 cucharadas de agua fría y seguir incorporando. Usar las manos para terminar de mezclar. Agregar un poco más de agua si es necesario para que el tazón quede limpio. Colocar la masa en una bolsa de plástico y refrigerar durante 30 minutos.

2 En una sartén grande calentar el aceite, freír las cebollas durante 10 minutos, revolviendo ocasionalmente, hasta que se suavicen. Incorporar el vinagre de vino blanco y el azúcar. Aumentar el fuego y revolver frecuentemente de 4 a 5 minutos hasta que las cebollas tomen un color intenso de caramelo. Cocinar durante otros 5 minutos y reservar para enfriar.

3 Sobre una superficie ligeramente enharinada extender la masa hasta formar un círculo de 35.5cm. Enrollar alrededor del rodillo y transferir a una charola para horno. Esparcir la mitad del queso sobre la masa, dejando un borde de 5cm alrededor de la orilla, colocar las cebollas caramelizadas sobre el queso. Doblar la orilla de la masa sin relleno para formar un borde y barnizarlo con huevo batido o con leche. Sazonar al gusto con sal y pimienta, espolvorear encima el resto del queso cheddar y hornear de 20 a 25 minutos. Pasar a un platón grande y servir de inmediato.

Ingredientes PORCIONES 4

Para la masa:
125g/4 oz de mantequilla
175g/6 oz de harina
Pizca de sal

Para el relleno:
2 cucharadas de aceite de oliva
4 cebollas grandes, finamente rebanadas
3 cucharadas de vinagre de vino blanco
2 cucharadas de azúcar moscabada
Huevo pequeño batido o leche
175g/6 oz de queso cheddar, rallado
Sal y pimienta negra, recién molida

Consejo
Para obtener un sabor suave como de nuez sustituye el queso cheddar por gruyere y ralla un poco de nuez moscada sobre la capa de queso en el paso 3.

1

2

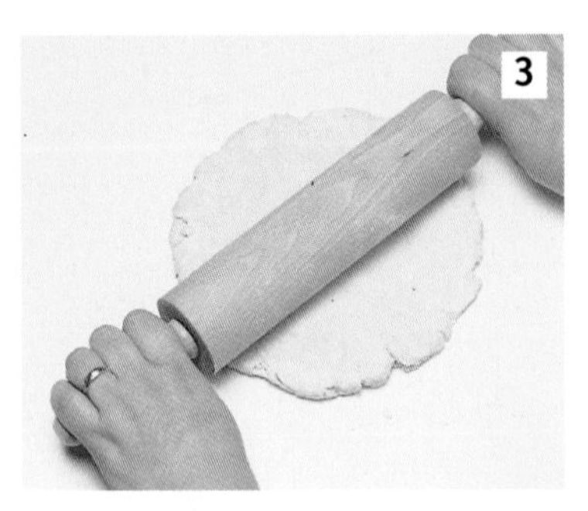
3

Tarta de chirivías

1 Precalentar el horno a 200°C/400°F. En una sartén de 20.5cm calentar la mantequilla.

2 Añadir las chirivías, acomodar con el corte hacia abajo y los extremos finos hacia el centro.

3 Espolvorear el azúcar sobre las chirivías y freír durante 15 minutos, volteando a la mitad de la cocción, hasta que estén doradas.

4 Verter el jugo de manzana y dejar que suelte el hervor. Retirar la sartén del fuego.

5 Sobre una superficie ligeramente enharinada extender la masa y darle un tamaño un poco más grande que la sartén.

6 Colocar la masa sobre las chirivías y presionar ligeramente para rodear las chirivías.

7 Hornear de 20 a 25 minutos hasta que las chirivías estén doradas.

8 Colocar un plato caliente invertido sobre la sartén y voltear la sartén para pasar la tarta sobre el plato. Servir de inmediato.

Ingredientes PORCIONES 4

1 tanto de masa (ver página 190)

Para el relleno:

50g/2 oz de mantequilla
8 chirivías pequeñas, peladas, cortadas en mitades
1 cucharada de azúcar morena
75ml/3 fl oz de jugo de manzana

Dato culinario

Este platillo es delicioso acompañado de una ensalada griega. El queso feta es uno de los ingredientes principales de esta ensalada, gracias a su sabor salado.

3

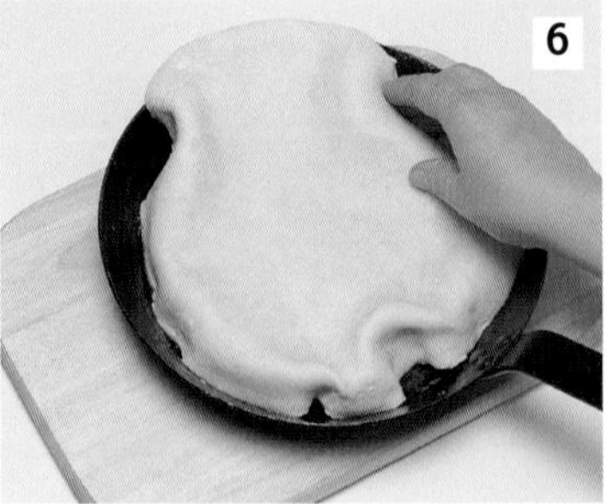
6

8

Galettes de champiñones mixtos

1. Precalentar el horno a 220°C/425°F. Sobre una superficie ligeramente enharinada extender muy finamente la masa.
2. Cortar 6 círculos de 15cm de diámetro y colocarlos sobre una charola para horno ligeramente engrasada.
3. Rebanar finamente la cebolla, dividirla en anillos y reservar.
4. Rebanar finamente el chile, rebanar el ajo en láminas finas. Agregar a las cebollas y reservar.
5. Limpiar o enjuagar ligeramente los champiñones. Cortar a la mitad los que estén grandes y dejar enteros los pequeños.
6. En una sartén calentar la mantequilla y saltear la cebolla, el chile y el ajo durante 3 minutos. Agregar los champiñones y cocinar durante 5 minutos o hasta que comiencen a suavizarse.
7. Incorporar el perejil a la mezcla de los champiñones y escurrir el exceso de líquido.
8. Colocar la mezcla de los champiñones sobre los círculos de masa y dejar un margen de 5mm de las orillas. Acomodar encima el queso mozzarella rebanado.
9. Hornear de 12 a 15 minutos o hasta que estén dorados y servir con los jitomates y la ensalada.

Ingredientes PORCIONES 6

1 tanto de masa (ver página 194), refrigerada
1 cebolla, pelada
1 chile rojo, sin semillas
2 dientes de ajo, pelados
275g/10 g de champiñones mixtos, como ostra, botón, etcétera
25g/1 oz de mantequilla
2 cucharadas de perejil, recién picado
125g/4 oz de queso mozzarella, rebanado

Para servir:

Jitomates cherry
Hojas verdes mixtas para ensalada

Nuestra sugerencia

En muchos supermercados puedes encontrar una gran variedad de champiñones comestibles y puedes usar cualquiera para esta receta. Para conservar su sabor no los peles a menos que parezcan viejos o duros. Enjuágalos un poco si tienen pequeñas partículas de tierra o límpialos bien y corta los tallos.

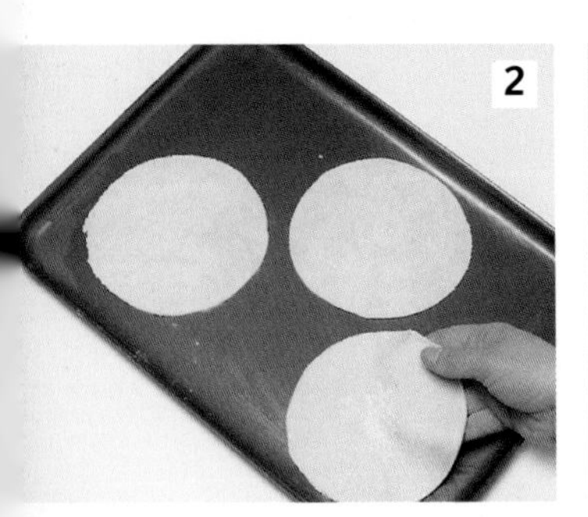

Empanadas de tocino, champiñones y queso

1 Precalentar el horno a 200°C/400°F. En una sartén grande calentar el aceite de oliva.

2 Añadir los champiñones y el tocino y freír revolviendo de 6 a 8 minutos, hasta que tome un color dorado. Incorporar el perejil, sazonar al gusto con sal y pimienta y dejar enfriar.

3 Extender un poco más la pasta hojaldrada sobre una superficie ligeramente enharinada para obtener un cuadrado de 30.5cm. Cortar la pasta en cuatro cuadrados iguales.

4 Incorporar el queso emmental rallado a la mezcla de los champiñones. Colocar un cuarto de la mezcla en cada cuadrado.

5 Barnizar las orillas con un poco del huevo batido.

6 Doblar la pasta para formar un triángulo. Sellar las orillas y colocar sobre una charola para horno ligeramente engrasada. Repetir hasta terminar los cuadrados.

7 Con un cuchillo filoso hacer cortes poco profundos en la parte superior de las empanadas.

8 Barnizar las empanadas con el resto del huevo batido y hornear durante 20 minutos o hasta que estén esponjosas y doradas.

9 Servir calientes o frías, decoradas con las hojas para ensalada y los jitomates.

Ingredientes PORCIONES 4

1 cucharada de aceite de oliva
225g/8 oz de champiñones, limpios, picados grueso
225g/8 oz de tocino, picado grueso
2 cucharadas de perejil, recién picado
Sal y pimienta negra, recién molida
350g/12 oz de láminas de pasta hojaldrada, extendida, descongelada
25g/1 oz de queso emmental, rallado
1 huevo mediano, batido
Hojas de ensalada como rúcula o berros, para decorar
Jitomates, para servir

Consejo

Puedes sustituir el queso emmental de esta receta por cualquier otro tipo de queso, pero para obtener mejores resultados usa uno como el cheddar que, al igual que el emmental, se derrite fácilmente. También puedes sustituir el tocino por rebanadas de un jamón curado más dulce, como pancetta, speck, parma o jamón serrano.

Tartaletas de hinojo y chalotes caramelizados

1 Precalentar el horno a 200°C/400°F. Cernir la harina y colocar en un tazón, incorporar la mantequilla con los dedos. Añadir el queso, después la yema de huevo junto con 2 cucharadas de agua fría. Mezclar para formar una masa firme y amasar ligeramente. Envolver en plástico adherente y enfriar en el refrigerador durante 30 minutos.

2 Sobre una superficie ligeramente enharinada extender la pasta y forrar seis moldes individuales para flan o tartaletas de 10cm de ancho y 2cm de profundidad.

3 Forrar los moldes con papel encerado y colocar encima frijoles crudos. Hornear en blanco en el horno precalentado durante 10 minutos, retirar el papel y los frijoles.

4 En una sartén calentar el aceite, añadir los chalotes y el bulbo de hinojo, freír ligeramente durante 5 minutos. Espolvorear encima el azúcar y freír durante 10 minutos más, revolviendo ocasionalmente, hasta que estén ligeramente caramelizados. Reservar hasta que se enfríen.

5 Batir el huevo y la crema, sazonar al gusto con sal y pimienta. Repartir la mezcla de los chalotes entre los moldes. Verter encima la mezcla del huevo y espolvorear encima el queso y la canela. Hornear durante 5 minutos, hasta que estén doradas y cuajadas. Servir con las hojas para ensalada.

Ingredientes PORCIONES 6

Para la pasta de queso:

175g/6 oz de harina
75g/3 oz de mantequilla, ligeramente salada
50g/2 oz de queso gruyere, rallado
1 yema de huevo pequeño

Para el relleno:

2 cucharadas de aceite de oliva
225g/8 oz de chalotes, pelados, cortados a la mitad
1 bulbo de hinojo, rebanado
1 cucharadita de azúcar morena
1 huevo mediano
150ml de crema agria
Sal y pimienta negra, recién molida
25g/1 oz de queso gruyere, rallado
½ cucharadita de canela, molida
Hojas mixtas para ensalada

Volovanes de caballa ahumada

1. Precalentar el horno a 230°C/450°F. Extender la pasta hojaldrada sobre una superficie ligeramente enharinada y, con un cortador acanalado de 9cm, cortar 12 círculos.

2. Con un cortador de 1cm marcar un círculo en el centro de cada círculo.

3. Colocar sobre una charola para horno húmeda y barnizar las orillas con un poco de huevo batido.

4. Espolvorear la pasta con las semillas de ajonjolí y hornear de 10 a 12 minutos o hasta que estén dorados y hayan subido.

5. Transferir los volovanes a una tabla para picar, cuando estén fríos y puedan manipularse retirar los círculos pequeños con un cuchillo filoso.

6. Sacar la pasta que no se haya cocido de cada volován y volver a hornear de 5 a 8 minutos para que se sequen. Sacar del horno y dejar enfriar.

7. Desmenuzar la caballa en trozos pequeños y reservar. Pelar el pepino, cortar en cubos muy pequeños y añadir a la caballa.

8. Batir el queso crema con la salsa de arándanos, el eneldo y la ralladura de limón. Incorporar la caballa y el pepino, rellenar los volovanes con la mezcla. Colocar encima los círculos pequeños y decorar con las ramitas de eneldo.

Ingredientes PORCIONES 12

350g/12 oz de pasta hojaldrada
1 huevo pequeño, batido
2 cucharaditas de semillas de ajonjolí
225g/8 oz de caballa ahumada con pimienta, sin piel, picada
5cm de pepino
4 cucharadas de salsa de arándanos
2 cucharadas de eneldo, recién picado
1 cucharada de ralladura fina de limón amarillo
Ramitas de eneldo, para decorar
Hojas mixtas para ensalada, para servir

Consejo

La caballa es un pescado relativamente barato y una de las fuentes más ricas en minerales, aceites y vitaminas. Este platillo es una manera fácil de incorporar todos los nutrientes esenciales a tu dieta.

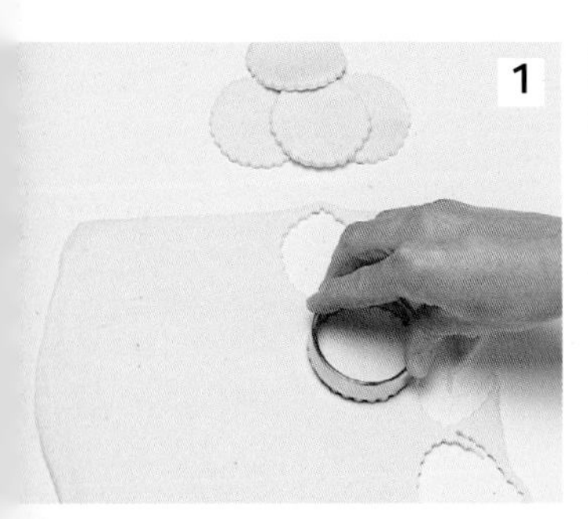

Pastelitos de pescado

1 Precalentar el horno a 200°C/400°F. En una sartén colocar la mantequilla y calentar lentamente hasta que se derrita. Agregar la harina y freír revolviendo durante 1 minuto. Retirar del fuego y verter gradualmente la leche, revolviendo después de cada adición. Devolver al fuego y cocinar a fuego lento, revolviendo constantemente, hasta que espese. Retirar del fuego y agregar el salmón, el perejil, el eneldo, la ralladura y el jugo de limón, los langostinos y sazonar.

2 Sobre una superficie ligeramente enharinada extender la masa y cortar seis círculos de 12.5cm y seis círculos de 15cm. Barnizar las orillas de los círculos pequeños con el huevo batido y agregar dos cucharadas del relleno en el centro de cada uno.

3 Colocar un círculo más grande sobre el relleno y presionar las orillas para sellar.

4 Pellizcar las orillas de la masa con el pulgar y el índice para sellar y darle un acabado decorativo.

5 Hacer un corte en cada pastelito y barnizar con el huevo batido, espolvorear con sal de mar.

6 Pasar a una charola para horno y hornear durante 20 minutos o hasta que estén dorados. Servir de inmediato con un poco de hojas frescas para ensalada.

Ingredientes PORCIONES 6

2 tantos de masa (ver página 194), refrigerada
125g/4 oz de mantequilla
125g/4 oz de harina
300ml de leche
225g/8 oz de filetes de salmón, sin piel, cortados en trozos
1 cucharada de perejil, recién picado
1 cucharada de eneldo, recién picado
Jugo y ralladura de 1 limón verde
225g/8 oz de langostinos, pelados
Sal y pimienta negra, recién molida
1 huevo pequeño, batido
1 cucharadita de sal de mar
Hojas frescas para ensalada, para servir

Nuestra sugerencia

El salmón no sólo está lleno de minerales, sino que es una fuente esencial de calcio y es muy bajo en grasas. Cuando uses langostinos asegúrate de quitar la vena de la parte posterior.

Paquetes de aceitunas y queso feta

1 Precalentar el horno a 180°C/350°F. Precalentar el grill y forrar la rejilla con papel aluminio.

2 Cortar los pimientos en cuartos y quitar las semillas. Colocar con la piel hacia arriba sobre la rejilla forrada y cocer bajo el grill precalentado durante 10 minutos, volteando ocasionalmente hasta que la piel comience a ponerse negra. Colocar los pimientos en una bolsa de plástico y dejar enfriar para manipularlos, pelarlos y rebanarlos finamente.

3 Picar las aceitunas y cortar el queso feta en cubos pequeños. Mezclar las aceitunas, el queso feta, los pimientos rebanados y los piñones.

4 Cortar una lámina de pasta filo a la mitad y barnizar con un poco de aceite de oliva. Colocar una cucharada del relleno de aceitunas y queso feta sobre un tercio de la lámina. Doblar la pasta sobre el relleno para encerrarlo y formar un paquete cuadrado.

5 Colocar el paquete en el centro de la otra mitad de la pasta, barnizar las orillas ligeramente con un poco del aceite, juntar las esquinas en el centro y girarlas un poco para formar una bolsa. Barnizar con un poco de aceite y repetir con el resto de la pasta filo y del relleno.

6 Colocar los paquetes sobre una charola ligeramente engrasada y hornear de 10 a 15 minutos o hasta que estén crujientes y dorados. Servir con el dip.

Ingredientes PORCIONES 30

1 pimiento rojo pequeño
1 pimiento verde pequeño
125g/4 oz de aceitunas verdes y negras, en conserva
125g/4 oz de queso feta
2 cucharadas de piñones, ligeramente tostados
6 láminas de pasta filo
3 cucharadas de aceite de oliva
Dip de crema agria y cebollín, para servir

Nuestra sugerencia

El queso feta se hace generalmente de leche de cabra y su sabor es muy salado. Para que sea menos salado remójalo en leche y escúrrelo antes de usarlo.

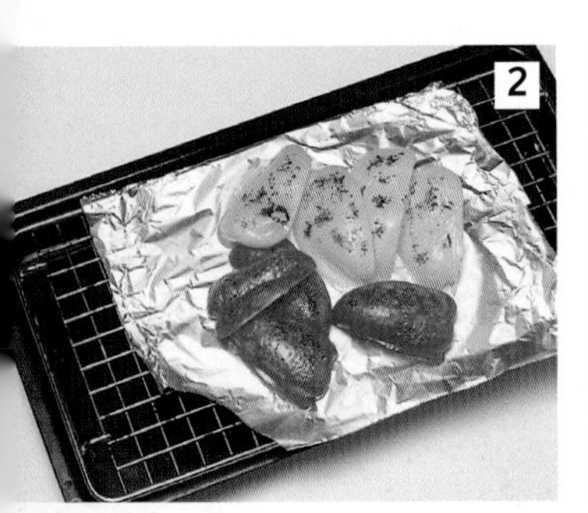

Antipasto con pan focaccia

1 Precalentar el horno a 220°C/425°F 15 minutos antes de hornear. En un platón grande para servir acomodar la fruta fresca, las verduras, los langostinos, las sardinas, las aceitunas, el queso y el embutido. Bañar con 1 cucharada del aceite de oliva, tapar y refrigerar mientras se prepara el pan.

2 En un tazón grande cernir la harina, el azúcar, la sémola y la sal, incorporar la levadura seca. Hacer un pozo en el centro y añadir las 2 cucharadas restantes del aceite de oliva. Agregar el agua caliente, poco a poco, y mezclar hasta formar una masa tersa y manejable. Si se usa levadura fresca acremar la levadura con el azúcar e incorporar poco a poco la mitad del agua caliente. Dejar en un lugar caliente hasta que forme espuma y proceder igual que con la levadura instantánea.

3 Colocar en una superficie ligeramente enharinada y amasar hasta que esté suave y elástica. Pasar la masa a un tazón ligeramente engrasado, tapar y dejar reposar en un lugar caliente durante 45 minutos.

4 Amasar de nuevo y aplanar para formar un óvalo grande de 1cm de grosor. Colocar sobre una charola ligeramente engrasada para horno. Perforar la superficie con el extremo de una cuchara de madera y barnizar con el aceite de oliva. Espolvorear encima la sal gruesa y hornear durante 25 minutos o hasta que esté dorado. Servir el pan con el plato preparado.

Ingredientes — PORCIONES 4

3 higos frescos, en cuartos
125g/4 oz de ejotes, cocidos, cortados a la mitad
1 cabeza pequeña de radiccio, cortada en tiras
125g/4 oz de langostinos grandes, pelados, cocidos
125g de sardinas, de lata, escurridas
25g/1 oz de aceitunas negras, sin hueso
25g/1 oz de aceitunas verdes, rellenas
125g/4 oz de queso mozzarella, rebanado
50g/2 oz de salami italiano, finamente rebanado
3 cucharadas de aceite de oliva

Para el pan focaccia:

275g/10 oz de harina
Pizca de sal
3 cucharaditas de levadura seca o 15g/½ oz de levadura fresca
175g/6 oz de sémola fina
1 cucharadita de sal
300ml de agua caliente
Aceite de oliva, para barnizar
1 cucharada de sal gruesa

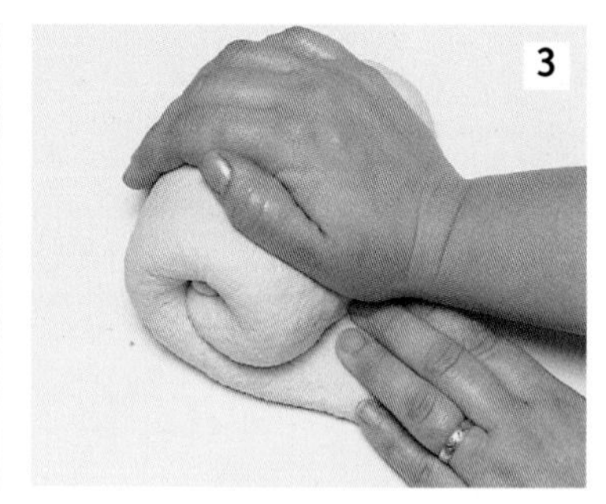

Frittata de mozzarella con ensalada de jitomate y albahaca

1 Para hacer la ensalada de jitomate y albahaca: rebanar los jitomates muy finamente, trocear las hojas de albahaca y esparcirlas sobre el jitomate. Para hacer el aderezo: batir el aceite de oliva, el jugo de limón y el azúcar. Sazonar con sal y pimienta antes de verter sobre la ensalada.

2 Para hacer la frittata, precalentar la parrilla a intensidad alta, justo antes de comenzar a cocinar. En un tazón grande colocar los huevos con suficiente sal y batir. Rallar el mozzarella e incorporarlo al huevo junto con las cebollas de cambray finamente picadas.

3 En una sartén grande de teflón calentar el aceite, verter la mezcla del huevo, revolviendo con una cuchara de madera para repartir uniformemente los ingredientes en la sartén.

4 Cocer de 5 a 8 minutos, hasta que la frittata esté dorada y firme en la parte inferior. Pasar la sartén al grill precalentado y cocer de 4 a 5 minutos o hasta que la parte superior esté dorada. Deslizar la frittata a un platón, cortar en 6 rebanadas grandes y servir de inmediato con la ensalada de jitomate y albahaca y pan crujiente caliente.

Ingredientes PORCIONES 6

Para la ensalada:

6 jitomates maduros, firmes
2 cucharadas de hojas de albahaca, fresca
2 cucharadas de aceite de oliva
1 cucharada de jugo de limón amarillo, fresco
1 cucharadita de azúcar extrafina
Pimienta negra, recién molida

Para la frittata:

7 huevos, batidos
Sal
325g/11 oz de queso mozzarella
2 cebollas de cambray, finamente picadas
2 cucharadas de aceite de oliva
Pan crujiente caliente, para servir

2

3

4

Boquerones fritos con ensalada de rúcula

1 Si los boquerones están congelados, descongelar por completo y secar con papel absorbente.

2 Comenzar a calentar el aceite en una freidora. Acomodar el pescado en un recipiente grande y revolcar bien en la harina con la pimienta de Cayena y sal.

3 Freír el pescado en tandas de 2 a 3 minutos o hasta que estén crujientes y dorados. Mantener calientes los pescados fritos mientras se fríe el resto.

4 Para hacer la ensalada, en platos individuales acomodar las hojas de rúcula, los jitomates cherry y el pepino. Batir el aceite de oliva junto con el resto de los ingredientes y sazonar ligeramente. Bañar la ensalada con el aderezo y servir con los boquerones.

Ingredientes PORCIONES 4

450g/1 lb de boquerones, frescos o congelados
Aceite, para freír
85g/3 oz de harina
½ cucharadita de pimienta de Cayena
Sal

Para la ensalada:

125g/4 oz de hojas de rúcula
125g/4 oz de jitomates cherry, cortados a la mitad
75g/3 oz de pepino, cortado en cubos
3 cucharadas de aceite de oliva
1 cucharada de jugo de limón amarillo, fresco
½ cucharadita de mostaza de Dijon
½ cucharada de azúcar extrafina

Nuestra sugerencia

Experimenta preparando una ensalada diferente. Mezcla espinacas baby limpias, chícharos cocidos fríos y cebollas de cambray picadas y baña con 2 cucharadas de aceite de oliva con ajo. Si vas a servir un platillo con pollo coloca encima de la ensalada un poco de queso feta.

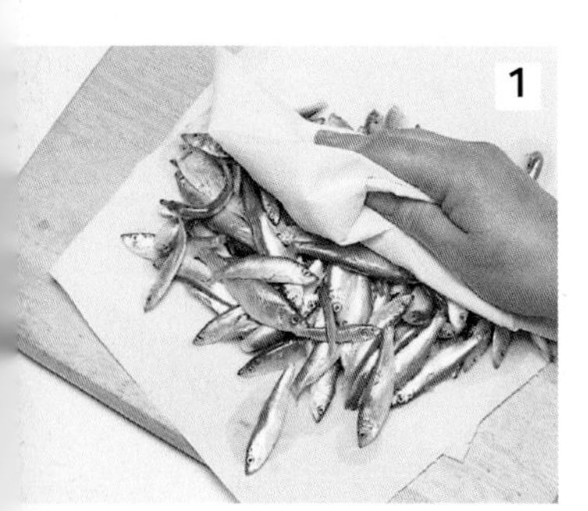
1

2

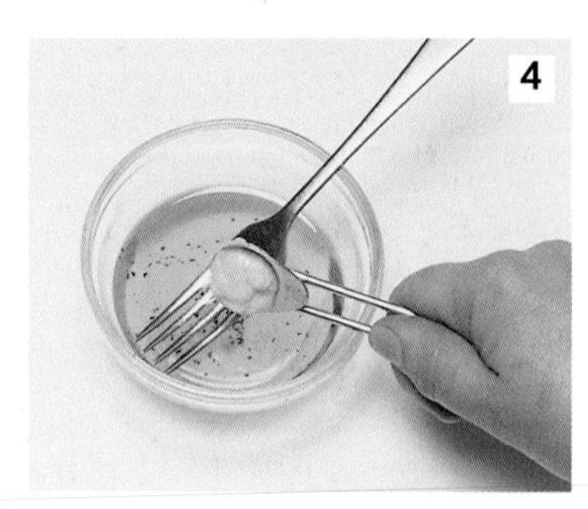
4

Bruschetta o pan tostado con queso de cabra, ajo y jitomates

1 Precalentar la parrilla y forrar la rejilla con papel aluminio justo antes de cocinar. Cortar una cruz pequeña en la parte superior de los jitomates y colocarlos en un tazón pequeño, cubrir con agua hirviendo. Dejar reposar durante 2 minutos, colar y quitar la piel. Cortar en cuartos, quitar las semillas y cortar la pulpa en cubos pequeños.

2 Mezclar la pulpa de los jitomates con el queso de cabra y 2 cucharadas del orégano fresco y sazonar al gusto con sal y pimienta. Verter 1 cucharada del aceite de oliva y mezclar bien.

3 Machacar el ajo y untar uniformemente sobre las rebanadas del pan. En una sartén grande calentar 2 cucharadas del aceite de oliva y saltear las rebanadas de pan hasta que estén crujientes y doradas.

4 En una charola ligeramente engrasada para horno poner las rebanadas de pan fritas y colocar encima la mezcla de jitomate con queso. Agregar un poco de mozzarella y asar bajo el grill de 3 a 4 minutos, hasta que estén dorados y burbujeen. Decorar con el resto del orégano, acomodar las bruschettas en un platón y servir de inmediato con las aceitunas.

Ingredientes PORCIONES 4

6 jitomates maduros, firmes
125g/4 oz de queso de cabra, finamente rallado
1 cucharada de hojas de orégano
Sal y pimienta negra, recién molida
3 cucharadas de aceite de oliva
3 dientes de ajo, pelados
8 rebanadas de pan italiano plano, como focaccia
50g/2 oz de queso mozzarella
Aceitunas negras en conserva, para servir

Consejo

Las hojas amargas combinan perfecto con estas bruschettas porque ayudan a aumentar la riqueza de la mezcla de jitomate con queso. Prueba con una mezcla de *frisée* (endivias), radicchio y rúcula. Si no las encuentras usa una bolsa de hojas para ensalada.

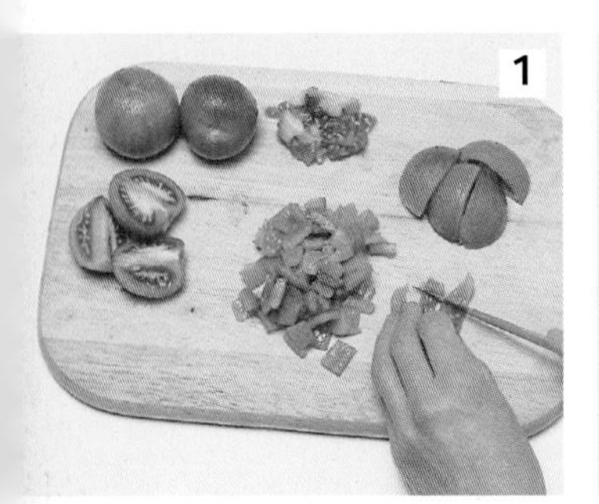

Crostini o pan tostado con hígados de pollo

1. En una sartén calentar 1 cucharada del aceite de oliva y 1 cucharada de la mantequilla, añadir los chalotes y el ajo, freír ligeramente de 2 a 3 minutos.

2. Recortar y lavar los hígados de pollo y secar muy bien con papel absorbente. Cortar en rebanadas y revolcar en la harina. Colocar los hígados en la sartén junto con el chalote y el ajo y freír durante 2 minutos más, revolviendo constantemente.

3. Verter el vino y el brandy y dejar que suelte el hervor. Cocinar a fuego alto de 1 a 2 minutos para dejar que el alcohol se evapore antes de incorporar los champiñones rebanados y cocer ligeramente durante 5 minutos o hasta que los hígados de pollo estén cocidos y un poco rosas en el centro. Sazonar al gusto con sal y pimienta.

4. Freír las rebanadas de pan tipo chapata en el resto del aceite y la mantequilla y acomodarlas en platos individuales para servir. Colocar la mezcla del hígado encima y decorar con unas cuantas hojas de salvia y gajos de limón. Servir de inmediato.

Ingredientes PORCIONES 4

2 cucharadas de aceite de oliva
2 cucharadas de mantequilla
1 chalote, pelado, finamente picado
1 diente de ajo, pelado, machacado
150g/5 oz de hígados de pollo
1 cucharada de harina
2 cucharadas de vino blanco seco
1 cucharada de brandy
50g/2 oz de champiñones, rebanados
Sal y pimienta negra, recién molida
4 rebanadas de pan chapata o similar

Para decorar:

Hojas de salvia frescas
Gajos de limón amarillo

Consejo

Si prefieres una alternativa más ligera que el pan frito de esta receta omite 1 cucharada de mantequilla y barniza las rebanadas de pan con la cucharada restante de aceite. Hornéalas a 180°C/350°F durante 20 minutos aproximadamente o hasta que estén doradas y crujientes, sirve como se indica en la receta.

Jitomates horneados con endivia rizada y radicchio

1 Precalentar el horno a 190°C/375°F. Engrasar ligeramente una charola para horno con 1 cucharadita de aceite. Rebanar la parte superior de los jitomates y sacar toda la pulpa, colar y ponerla en un tazón grande. Espolvorear un poco de sal dentro de las cáscaras de los jitomates y colocarlos con el orificio hacia abajo sobre un plato mientras se prepara el relleno.

2 Mezclar la pulpa del jitomate con el pan molido, las hierbas frescas y los champiñones, sazonar bien con sal y pimienta. Acomodar las cáscaras de los jitomates en la charola preparada y rellenar con la mezcla del jitomate con los champiñones. Espolvorear el queso encima y hornear de 15 a 20 minutos, hasta que estén dorados.

3 Mientras, preparar la ensalada. En platos individuales acomodar la endivia y el radicchio, en un tazón pequeño mezclar el resto de los ingredientes para hacer el aderezo. Sazonar al gusto.

4 Cuando los jitomates estén cocidos dejar reposar durante 5 minutos antes de colocar en los platos y bañar con un poco del aderezo. Servir calientes.

Ingredientes PORCIONES 4

1 cucharadita de aceite de oliva
4 jitomates bola
Sal
50g/2 oz de pan blanco, molido
1 cucharada de cebollín, recién recortado
1 cucharada de perejil, recién picado
125g/4 oz de champiñones botón, finamente picados
Sal y pimienta negra, recién molida
25g/1 oz de queso parmesano, rallado

Para la ensalada:
½ endivia rizada
½ radicchio pequeño
2 cucharadas de aceite de oliva
1 cucharadita de vinagre balsámico
Sal y pimienta negra, recién molida

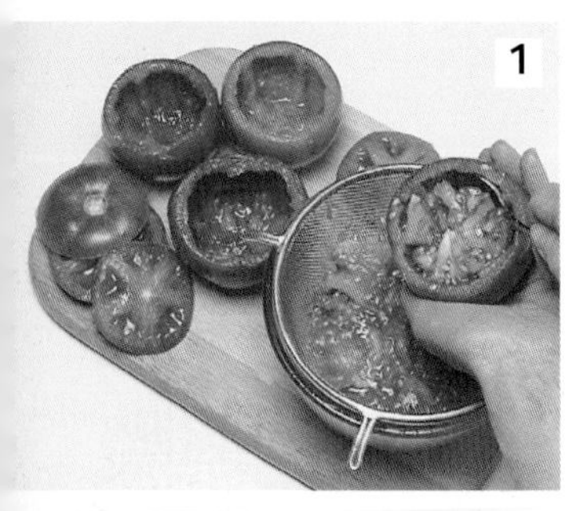
1

2

2

Espagueti con pesto de limón y pan con queso y hierbas

1. Precalentar el horno a 200°C/400°F 15 minutos antes de hornear. Mezclar la cebolla, el orégano, el perejil, la mantequilla y el queso. Untar la mezcla del queso en el pan, colocar en una charola ligeramente engrasada para horno y cubrir con papel aluminio. Hornear de 10 a 15 minutos, mantener caliente.

2. En una cacerola grande con agua hirviendo a fuego alto colocar el espagueti con 1 cucharada del aceite de oliva y un poco de sal, cocer de 3 a 4 minutos o hasta que esté "al dente". Colar, reservar 2 cucharadas del líquido de cocción.

3. Licuar la albahaca, los piñones, el ajo, el queso parmesano, la ralladura y el jugo de limón con el resto del aceite de oliva en un procesador de alimentos o licuadora hasta obtener un puré. Sazonar al gusto con sal y pimienta y pasar a una cacerola.

4. Calentar ligeramente el pesto hasta que burbujee, añadir la pasta junto con el líquido de cocción reservado. Incorporar la mantequilla y revolver bien.

5. Agregar suficiente pimienta negra a la pasta y servir de inmediato con el pan de queso con hierbas caliente.

Ingredientes PORCIONES 4

1 cebolla pequeña, rallada
2 cucharaditas de orégano, recién picado
1 cucharadita de perejil, recién picado
75g/3 oz de mantequilla
125g/4 oz de queso de cabra, rallado
8 rebanadas de pan italiano, plano
275g/10 oz de espagueti, seco
4 cucharadas de aceite de oliva
1 manojo grande de albahaca, 25g/1 oz aproximadamente
75g/3 oz de piñones
1 diente de ajo, pelado, machacado
75g/3 oz de queso parmesano, rallado
Jugo y ralladura fina de 2 limones amarillos
Sal y pimienta negra, recién molida
4 cucharaditas de mantequilla

1

3

4

Índice